GARETH WYN
JONES
MAB Y MYNYDD

Gareth Wyn Jones

JONES

Mab y Mynydd

GYDAG
Elfyn Pritchard

Argraffiad cyntaf: 2012

Dymuna'r cyhoeddwyr gydnabod cymorth ariannol
Cyngor Llyfrau Cymru

Llun y clawr: Mike Blackburn
Cynllun y clawr: Y Lolfa

Rhif Llyfr Rhyngwladol: 978 1 84771 444 2

FSC

Cyhoeddwyd, rhwymwyd ac argraffwyd yng Nghymru gan
Y Lolfa Cyf., Talybont, Ceredigion SY24 5HE
gwefan www.ylolfa.com
e-bost ylolfa@ylolfa.com
ffôn 01970 832 304
ffacs 832 782

CYFLWYNIAD

MYND ROWND MEWN cylchoedd mae bywyd. Wrth i'r gyfrol yma o hanesion fy modolaeth gael ei gorffan mae'r gyfres *Wales in Four Seasons* ar y teledu. Mi fu Renee Godfrey, y gyflwynwraig, yma'n ffilmio yn ystod pedwar tymor bywyd ar y ffarm, ac mae'r pedair rhaglan yn darlunio cylch y tymhorau. Hen hogan iawn, a phawb yn gofyn sut mae fy ngwraig yn diodda 'ngweld i efo merch olygus ar y teledu! Ond mae Renee fel y chwaer fach yr hiraethwn am ei chael pan oeddwn i'n blentyn.

A dyn y 'Four Seasons' ydw inna hefyd – fel pawb arall, debyg. Un sy'n cofio'n ddiolchgar am wanwyn ei fywyd, plentyndod hapus a magwraeth ofalus gyda thad a mam cariadus a brawd bach sy'n fwy na fi. 'Nhad, y dylanwad mwya fuo arna i, y cymeriad clên a chryf sy wedi 'ngneud i yr hyn ydw i. Os galla i fod hannar cystal dyn â fo mi fydda i'n fodlon iawn. Mam wedyn, yn ddistaw ond yn gadarn, yr un mor hawdd siarad efo hi a rhannu 'mhroblemau â hi.

A phan ddaeth dyddia heulog yr haf roedd bywyd yn hwyl, yn y caeau gwair, ar seit pebyll Pendyffryn ac yn cael sbri efo'r hogia. Tymor caru a phriodi a magu teulu, tymor dylanwad Rhian fy ngwraig arna i – asgwrn cefn fy mywyd – a'r plant wedyn a'u gwenau o gwmpas y bwrdd yn codi calon dyn ar derfyn diwrnod calad o waith.

A minna ar gyrion hydref fy mywyd mae'r drysau wedi agor i mi ar radio a theledu, a bod yn y lle iawn ar yr amsar iawn yn dod â sawl cyfla. A phwy fasa'n meddwl y bydda gen i lyfr wrth fy enw!

Ddaeth y gaeaf ddim eto, ond wrth edrych ar fy nhad a'i frodyr yn dal i weithio, yn dal â'u bywydau yn llawn, dwi'n gweld fy hun ynddyn nhw ac yn gobeithio mai fel y maen nhw y bydda inna.

Wrth ollwng y llyfr yma o'm llaw mi garwn ddiolch i'r Lolfa am y cyfla ac am bob cydweithrediad, ac i'r 'ysbryd', sef Elfyn Pritchard, ddaeth yma o'r Sarnau i wrando ar fy hanes a'i gofnodi. Dwi wedi mwynhau ei gwmni. Diolch hefyd i bawb sy wedi bod yn rhan o fy mywyd i ac yn rhan o'r llyfr. Colli ffrindia a gneud rhai newydd ydi bywyd, gan geisio mwynhau pob eiliad, gafael ym mhob cyfla a pheidio gneud drwg i neb.

Gareth Wyn Jones
Mai 2012

1

PLENTYNDOD A LLENCYNDOD

HEI MRS ROBINSON!

MI WN I mai ffarmwr ydw i, ond nid ar y ffarm y ces i ran bwysica fy addysg, nac yn yr ysgolion y bues i ynddyn nhw chwaith, ond ym maes carafannau Pendyffryn, a Mrs Robinson oedd yr athrawas! Mi brynwyd y maes carafannau gan Taid yn 1954 ac mae o wedi bod yn y teulu byth ers hynny. Do, mi chwaraeodd ran bwysig iawn yn fy 'addysg' i pan oeddwn i'n ifanc! Mae o wedi'i leoli y tu allan i Benmaenmawr ar ochor yr A55 ac mae lle ynddo i garafannau statig, carafannau symudol a phebyll.

Yn ystod gwyliau'r haf ddechra'r wythdega a finna'n rhyw dair ar ddeg oed, mi fyddwn i'n mynd draw i Ben Dyff bob bora efo fy nau gefndar, Owen John a Ieuan, i helpu i hel y gwarthaig i mewn er mwyn i Yncyl Wil eu godro, ac yna i weithio yn y maes carafannau. Roedd fy nghefndryd yn hŷn na fi, Owen John yn ddeunaw a Ieuan yn un ar bymthag.

Ein gwaith yno oedd gwagio'r biniau a glanhau'r toilets, y lle 'molchi a'r ciwbicls cawod. Owen fydda'n glanhau'r toilets, diolch am hynny, Ieuan yn brwsio a finna'n glanhau'r basnau 'molchi a'u sgwrio'n lân efo Vim.

Mi fydda'r lle'n llawn bob gwyliau haf, rhywrai ym
mhob carafán statig, llawer o garafannau wedi troi i mewn
o'r ffordd a'r maes pebyll yn un patrwm o liw heb brin
le i symud ynddo. Roedd pobol yn dod yno o bobman, o
wledydd fel yr Almaen a Ffrainc yn ogystal â gwledydd
Prydain.

Dwi'n cofio un bora yn arbennig. Bora bendigedig o
braf a'r tri ohonon ni wrthi'n brysur yn glanhau. Mi fydden
ni'n llnau ochor y dynion i ddechra gan ein bod ni dipyn
yn swil i fentro i doilets y merchaid. Ond mynd fydda raid
a Ieuan, y mwya hyderus ohonon ni, fydda'n cnocio'r drws
a gweiddi, 'Anybody in?' Os nad oedd atab mi fydden ni'n
mynd i mewn a dechra arni fel fflamia er mwyn cael gorffan
mor fuan ag oedd modd, ac os yn bosib cyn i'r un ddynas
ddod yno.

Y bora arbennig yma roedd Owen wrthi'n brysur yn y
toilets, Ieuan yn un o'r ciwbicls yn brwsio a finna'n llnau
efo'r Vim pan ddaeth dwy ddynas i mewn, mam a merch
yn ôl eu golwg, a'r ddwy'n siarad bymthag y dwsin mewn
rhyw iaith ddiarth, Ffrangeg dwi'n meddwl. Roedd y fam
yn ei phedwardega faswn i'n deud a'r ferch tua deunaw, ac
roedd y ddwy yn rhai deniadol dros ben.

Wedi dod i gael cawod roeddan nhw, ac mi fyddan ni
wedi mynd allan er mwyn iddyn nhw gael y lle iddyn nhw
eu hunain tasan nhw wedi gofyn. Ond dyma nhw'n rhoi eu
bagia i lawr a dechra tynnu amdanyn nhw rownd y gornal
o lle roeddan ni, a finna a Ieuan yn gallu gweld eu tinau
noeth yn y drych. Mi ddaliodd Owen i llnau tra bod Ieuan
a finna'n sbio ar ein gilydd. Dwi'n siŵr bod fy llygaid i fel
soseri, ac mi gafodd y sinc roeddwn i'n ei llnau ar y pryd ei
rwbio'n dwll bron y bora hwnnw.

Diolch byth, mi aeth y ddwy i mewn i'r gawod yn y man
a doedd dim i'w glywad wedyn ond sŵn y dŵr. Ond roedd
gwaeth – neu well – i ddod. Y funud nesa roedd y ddwy
allan, yn siarad a chwerthin ac yn dechra sychu eu hunain

yn union o'n blaena ni fel tasan ni ddim yno. Tybad ai deud petha amdanon ni oeddan nhw? Cael hwyl am ein penna ni, falla, yn cymryd arnon ni nad oeddan ni'n sbio arnyn nhw. Roedd hynny'n wir, gan fod Ieuan a fi'n sbio ar ein gilydd a ddim yn gwybod lle i roi ein hunain na lle i edrych – isio edrych, ac eto...! Hogyn bach o'r wlad oeddwn i, 'rioed wedi gweld ffasiwn beth, a go brin 'mod i'n gwybod be oedd *strip-tease*. Ond dyna gawson ni beth bynnag! A dwi'n dal i gofio am y peth ac rydan ni'n dal i atgoffa'n hunain o'r bora hwnnw pan ddysgais i gryn dipyn am y corff dynol – wel, am gyrff merchaid o leia!

Fel y deuai'r hafau yn eu tro a finna'n mynd yn hŷn, datblygodd y maes carafannau i fod yn lle gwych i hogyn ifanc ar ei brifiant. Doedd dim angan mynd i'r clwb ieuenctid i chwilio am ferch, roedd digon yn dod i'r maes carafannau o flwyddyn i flwyddyn, yn dod am benwythnos neu wythnos gyfan ar y tro, a phob un ohonyn nhw, faswn i'n meddwl, yn chwilio am fechgyn, am hogia ffarmwrs. Roeddan ni'n fois cyhyrog, yn gneud gwaith trwm ar y ffarm, yn cario bêls a phetha felly, ac felly'n andros o ffit, a gan fod gen i wallt melyn, hir rown i'n licio meddwl 'mod i'n tynnu llygaid y merchaid. Doedd hi ddim yn anodd cael cariad newydd yn amal, beth bynnag.

Oedd, roedd bod ar y maes carafannau yn addysg yn wir. Ond nid wrth weld merchaid noeth yn y gawod nac wrth gael cariad newydd bob wythnos y dysgais i fwya, o nage, ond wrth ddod i nabod un wraig arbennig, gwraig briod oedd yn aros yn un o'r carafannau. Rhaid peidio deud ei henw iawn rhag ofn bod rhai yn dal i'w chofio. Mi'i galwn hi'n Mrs Robinson, am resymau amlwg – wel, amlwg i mi beth bynnag!

Mi waeddodd arna i un bora i ddeud bod ei photal nwy calor yn wag. Mi es i'r siop i gael potal lawn er mwyn ei newid am yr un wag, ac wedi i mi neud y job dyma Mrs Robinson yn gofyn, 'Do you want to come in for a coffee?'

A dyma fynd i mewn yn ddiniwad reit i gael panad. Roedd y ddau arall wedi mynd am ein ffarm yng Nghonwy erbyn hynny a finna wedi gorffan fy ngwaith ac awr neu ddwy gen i i'w sbario. Ac yn y garafán y treuliais i weddill y bora. Roedd Mrs Robinson yn dipyn o gymeriad ac yn athrawas dda, ac mi ddysgais i fwy yn ystod y ddwyawr honno nag yn y blynyddoedd cynt na wedyn. Roedd y cyrtans wedi'u cau ar ffenestri'r garafán drwy'r bora ac addysg mewn hannar tywyllwch ges i, ond doedd diffyg golau ddim yn broblam! Ond gwell i finna dynnu'r llen ar ddigwyddiada'r bora hwnnw!

FI A TAMZIN

Tipyn mwy diniwad oedd fy ymwneud â merch arall, Tamzin. Wel, dim ond pump oed oeddan ni'n dau ar y pryd. Roedd Ty'n Llwyfan, fy nghartra ers blynyddoedd bellach, unwaith yn ddau dŷ. Mi osododd Dad y ddau dŷ i ddau deulu, a ninna'n byw mewn bwthyn ar y buarth. Roedd dau Almaenwr yn byw yn un o'r tai a Bil, cefndar Dad – Bil Gwyndy fel roedd o'n cael ei alw – yn y llall. Roedd ganddo fo a'i wraig Ann bedwar o blant, Liam, Geraint, Tamzin a Bleddyn, ac roedd 'na ddau ohonon ni, fi a 'mrawd, yn byw yn y bwthyn. Roedd Tamzin yr un oed â fi a Bleddyn ddwy flynadd yn iau, yr un oed â 'mrawd.

Yn nechra'r saithdega mi adeiladodd Dad fwthyn newydd sbon, crand gerllaw ac mi fyddan ni'r plant yn mynd yno'n amal i fusnesu a gweld y gwaith adeiladu.

Pump oed oedd Tamzin a fi, fel y soniais, ac ar ôl inni weld y peintiwrs wrthi'n brysur yn y tŷ mi benderfynodd y ddau ohonon ni fynd ati i roi help llaw iddyn nhw trwy beintio'r garej. Mi gafodd Tamzin afael ar dun o flac-led yn rhywla a dyma ni ati, a gneud cythgam o lanast ar y garej ac arnon ni ein hunain, nes bod y waliau a'n dillad ni'n ddu, er ein bod ni'n meddwl ein bod ni'n helpu, wrth gwrs. Dwi ddim yn cofio llawer am y peth – dim ond y sioc gawson ni o gael andros o row, a hynny am helpu! Roedd Dad yn lloerig, ond mae'r blac-led i'w weld yn y garej o hyd ac mi fydda i'n cael rhyw hwyl bach wrth ei weld ac wrth edrych ar y llun ohonon ni'n dau yn edrych mor ddiniwad!

Ralïo

Fel roeddwn i'n tyfu'n hŷn, dreifio oedd popeth, ac yn hynny o beth mae meibion ffarmwrs wedi bod yn lwcus gan fod dreifio wedi bod yn rhan o'u byd ers pan ddaeth ceir a thractors yn boblogaidd a'r rhan fwya ohonyn nhw wedi hen ddysgu dreifio cyn cyrraedd yr oedran gyrru cyfreithlon. Dysgu trwy ddreifio ar y buarth ac yn y caeau ydi hanes meibion ffarmwrs. Ond nid dreifio wnaethon ni unwaith ond ralïo. Cyfnod y bêls bach adeg y cynhaeaf gwair oedd hi, fi'n bymthag a 'mrawd i, Huw – Huw Bach fel y bydda pawb yn ei alw – yn dair ar ddeg.

Un diwrnod roeddan ni ar ffarm Gerlan, Llanfairfechan, hen gartra'r teulu a ffarm roedd Yncyl Huw ac Anti Ann yn byw ynddi erbyn hynny. Roedd hogyn ifanc oedd rywfaint yn hŷn na ni'n byw ac yn gweithio ar y ffarm ar y pryd ac roedd o'n dipyn o giamstar ar ralïo efo'i Fini bach. Nigel Mulliner oedd o, Cymro Cymraeg er gwaetha'i enw. Dim ond ni'n tri oedd yn y cae a Dad a'i frodyr i lawr yn y gwaelod mewn cae arall.

Dyma fynd ati i osod y bêls bach fel rhwystrau ar gyfer ralïo ac i ffwrdd â Nigel yn ei Fini bach gan neud pob math o gampau gan gynnwys *handbrake turns* a gwau i mewn ac allan rhwng y bêls. Wedyn mi wnaeth yr un peth efo Capri Yncyl Huw. Roedd hwnnw'n gar mawr 1600 brown ac mi ges i fynd ynddo fo ar ôl Nigel. Ond ches i fawr o hwyl arni, er 'mod i'n ceisio'i efelychu o.

'Dwi isio go rŵan, Gar,' medda Huw, y brawd bach. Wel,

roedd car Dad ar y buarth, Escort gwyrdd *metallic* 1300. Dwi'n cofio'i rif o byth, GCC 520N. Mi gytunwyd y bydda'n iawn i Huw gael 'go' yn hwnnw gan ei fod o'n llai car na'r Capri. I ffwrdd â fo gan wibio mynd, ond wrth geisio troi'r gornal ym mhen draw'r cae mi aeth ar ei ben i'r ffos nes bod y car yn fwd drosto ac yn sownd fel cloch.

Doedd dim modd ei symud ac mi fu'n rhaid cael y tractor i'w lusgo oddi yno. Erbyn hyn roedd Dad a'i frodyr wedi cyrraedd i fyny ac wedi gweld be oedd wedi digwydd. Roedd Dad o'i go, er nad oedd y car ddim gwaeth. Roedd ganddo feddwl y byd ohono, ac yn ei hannar addoli. Mi fasa Huw Bach wedi'i chael hi ganddo tasa fo o fewn cyrraedd. Ond roedd Huw yn gallach na hynny ac wedi'i gwadnu hi odd'no am ei fywyd a chau ei hun yn ei lofft. Erbyn i Dad gyrraedd adra roedd o wedi tawelu rhyw gymaint, a rhwng hynny a'r ffaith fod Mam yn cadw ei bart o mi ddaeth Huw allan ohoni'n well na'r disgwyl.

Ond pharodd ein cyfnod ralïo ni ddim yn hir – mi ddaeth y dechra a'r diwadd yr un diwrnod, diolch i Huw! Roedd y digwyddiad yna'n addysg i mi hefyd. Os oeddwn i'n gneud rhywbath o'i le, y peth i'w neud i beidio cael row oedd cadw o ffordd Dad am dipyn nes y bydda fo wedi cŵlio – a chael Mam i gadw 'mhart i, wrth gwrs!

GLYNLLIFON

Erbyn diwadd yr wythdega roeddwn i wedi bod yn Ysgol y Babanod, Llanfairfechan, Ysgol Pant y Rhedyn ac Ysgol Tryfan, Bangor ac wedi cyrraedd Coleg Amaethyddol Glynllifon, ond yn dal heb gallio'n iawn, mae'n rhaid, achos mi fuo bron amdana i yno un noson. Roedd criw da ohonon ni Gymry efo'n gilydd yn y coleg, o Ben Llŷn a Sir Fôn a'r gogledd cyn bellad â Chonwy, a ni oedd y rhai ar y ffin rhwng y rhai oedd yn mynd i Lynllifon a'r rhai oedd yn mynd i Lysfasi. Bryn Bodeidda oedd y pella, dwi'n meddwl, a dwi'n cofio Robin Trebedda, Edward Ty'n Llan, Paul Bach a John Bach Bodnithiod – uffarn o gês. A llawer rhagor hefyd.

Mi fydden ni'n mynd am beint bob nos Ferchar, allan i rywla yn ymyl neu i Gaernarfon. Ac yn y dre roeddan ni un nos Ferchar pan ddaru ni golli'r bws yn ôl i'r coleg. Roedd un o'r genod, Anwen, efo ni ac roedd ganddi hi Fini, ac mi gafodd pedwar ohonon ni reid yn ôl efo hi. Roedd pawb yn mwydro a dangos ein hunain iddi, fel y bydd hogia, achos roedd hi'n dipyn o bishyn ac roedd y cwrw'n siarad. Ar ôl cyrraedd y *courtyard* lle roeddan ni'n aros dyma Anwen yn ein hel ni i gyd allan, ond mi arhosodd John am funud i siarad efo hi. Does 'na ddim bŵt i Fini ond roedd yna ffendar eitha llydan ar y tu ôl, a thra oedd John yn siarad yn y car efo Anwen dyma fi'n gneud peth gwirion iawn sef sefyll ar y ffendar, pwyso 'mlaen a gafael yn y to.

Y funud nesa dyma hi i ffwrdd heb wybod 'mod i yno, ac roedd hi'n sgrialu fel Jehu rownd y corneli. Wrth iddi rowndio'r gornal ddwetha mi ddisgynnais oddi ar y Mini nes 'mod i'n powlio fel dwn i ddim be ar hyd cerrig y ffordd.

Mae cwrw yn dipyn o anesthetig ond mi wyddwn 'mod i wedi brifo 'mhen-glin a dyma fynd yn syth i 'ngwely heb edrych ar fy nghoes a chysgu'n drwm. Ond pan ddeffrais i roedd fy mhen-glin yn brifo'n ofnadwy ac roeddwn i'n gloff. Roedd gynnon ni arholiad ffensio cae y bora hwnnw a dyma Glyn oedd yn ein cymryd yn sylwi 'mod i'n gloff ac mi fynnodd weld be oedd yn bod. Mi 'chrynodd pan welodd o 'mhen-glin i a'r croen i gyd wedi'i grafu oddi arno. Mi anfonodd fi at y nyrs ac roedd honno'n holi be oedd wedi digwydd, ond ddwedais i mo'r gwir wrthi, dim ond deud 'mod i wedi syrthio, ond roedd hi'n ama bod mwy iddi na hynny.

Mae'n wyrth na ddigwyddodd dim byd gwaeth – mi alla chwara fod wedi troi'n chwerw, a thaswn i wedi taro coedan neu garrag mi allswn fod wedi fy lladd. Gwers bwysig i'w dysgu ydi nad ydi hogia ifanc, cwrw a cheir yn cymysgu.

UN NOS SADWRN

Mi allsa petha fod wedi bod yn waeth arna i yng Nglynllifon ac mi allsa petha fod wedi bod yn waeth arna i un nos Sadwrn ugian mlynadd yn ôl hefyd. Mi fydda i'n chwysu bob tro y meddylia i am y peth.

Roedd ein gwalltia ni i gyd yn hirion bryd hynny ac mi fydda criw ohonon ni'n cyfarfod yn y dafarn leol am beint cyn mynd am sbri i Fangor. Roeddwn i'n gariad i Rhian erbyn hynny ac roedd hi'n byw ym Mangor Ucha, ei mam a'r merchaid wedi symud o'r ffarm yn Sir Fôn, ac felly roeddwn i'n lwcus – roedd gen i le i aros a doedd dim rhaid i mi chwilio am dacsi i fynd adra. Mi fydda rhai o'r lleill yn aros efo fi o dro i dro hefyd.

Un nos Sadwrn roedd pump ohonon ni, yn ffrindia a theulu, wedi cyfarfod yn barod i fynd efo'n gilydd i Fangor: fi a 'mrawd Huw a 'nghefndar Richard a dau o'n ffrindia penna, Mark Hughes a Jason Jones. Hen fois iawn! Dyma un arall yn landio sef Steve Bach – Steve Flatfoot fel y bydden ni'n ei alw fo. Chwech ohonon ni i gyd felly, ac roedd hynny'n broblam. Volkswagen bach oedd gen i, y Beetle, oedd yn cario pump ar binsh – tri yn y tu ôl a dau yn y blaen. Ond chwech? Nefar.

'Mi fydd yn rhaid i ti fynd ar y bws,' medda fi wrth Steve.

'Peidiwch â 'ngadal i ar ôl,' medda hwnnw, 'mi deithia i yn y bŵt. Mi dwi'n ddigon bychan.'

Ond does dim bŵt mewn Beetle gan fod yr injian yn y tu ôl. Roedd 'na ryw gymaint o le gwag yn y ffrynt dan y bonat ac mi stwffiwyd Steve i mewn i fan'no. Roedd o'n gallu eistedd ar stepan fechan a phlygu ymlaen a gneud ei hun yn ddigon bach fel ein bod ni'n gallu cau y bonat yn dynn.

Ffwrdd â ni am Fangor felly, pawb yn smocio a malu cachu a chael hwyl fel y bydd criw o hogia. Fel roeddan ni'n cyrraedd Gipsy Corner y tu allan i Dal-y-bont dyma Mark yn deud yn sydyn:

'Well inni weiddi ar Steve.'

'Pam?' medda fi.

'Wyddost ti fod y car yma'n gallu fflotio ar ddŵr?'

'Be ti'n feddwl?' medda fi wedyn.

'Mae o'n *airtight*,' medda fo, 'y tu ôl a'r tu blaen.'

'Rarglwydd, sôn am banics. Y car yn *airtight* a Steve wedi'i gau i mewn! Doedd nunlla i stopio felly dyma ddechra gweiddi fel petha gwirion ar Steve, ond doedd dim atab. Ger Tal-y-bont roedd 'na *bus stop* a dyma dynnu i mewn i hwnnw a Huw 'mrawd allan o'r car fel shot ac agor y bonat.

'Dew, 'dan ni ym Mangor yn barod?'

Llais Steve! Sôn am ollyngdod. Doedd o ddim wedi'n clywad ni'n gweiddi gan fod sŵn y car a sŵn y teiars ar y ffordd yn boddi'n lleisia ni. Roedd o'n berffaith iawn, diolch i'r drefn, a ninna'n ofni ei weld o â'i wynab yn las. Mi alla'n hawdd fod wedi mygu! Mae o'n gneud ichi feddwl, yn tydi, mor wirion ma rhywun yn gallu bod.

Mi dwi 'di bod yn lwcus i gael ffrindia da, llawer ohonyn nhw'n deulu hefyd, ac rydw i'n perthyn i deulu mawr, a pheth braf ydi hynny.

2

TEULU NI

UN O GWMNI o wyth ydw i, cwmni teuluol Owen Jones a'i feibion. Tad fy nhad oedd yr Owen Jones a sefydlodd y cwmni ac mi fuodd o farw pan oedd fy nhad yn chwech ar hugian a chyn i mi gael fy ngeni. Marw'n ifanc wnaeth Nain hefyd, a 'nhaid ar ochor fy mam.

Dwi'n meddwl i farwolaeth ifanc fy nhaid dynnu'r teulu – y meibion beth bynnag – at ei gilydd. Roedd pedwar ohonyn nhw yn y cwmni ac ar ddiwrnod angladd fy nhaid mi glywodd Dad ddau ffarmwr yn siarad ac yn deud: 'Mi fydd yn ddiddorol gweld pa un o'r ffermydd fydd yr hogia 'ma yn ei gwerthu gynta.' Mi aeth Dad adra a deud wrth y tri brawd arall be oedd o wedi'i glywad. Roeddan nhw'n hogia ifanc ac roedd lot o bwysa arnyn nhw. Ond mi dynnon nhw at ei gilydd a wnaethon nhw ddim gwerthu yr un o'r ffermydd, a dal ati yn y cwmni wnaethon nhw nes i ni, bedwar o'u meibion, ddod yn rhan o'r cwmni hefyd.

Ac felly dyma ni'n wyth bellach ac yn Jonsus i gyd, Dad a fi, Ty'n Llwyfan, Llanfairfechan, a'r tri brawd a'u meibion: Tecwyn (Teg), Plas Ucha, Penmaenmawr a Robert y mab; Huw, Gerlan, Llanfairfechan ac Owen John; a William Roger, Henblas, Llanfairfechan a Ieuan. Mi fyddwn ni, neu'r rhan fwya ohonon ni o leia, yn cyfarfod i gael panad bob bora yng nghartra Dad, sy'n byw yn y byngalo erbyn hyn a finna yn y tŷ – cyfarfod i drin a thrafod materion y cwmni a phenderfynu, pan mae angan am hynny, ar waith y dydd.

O glywad am gymaint o ffraeo ac anghytuno sy'n hollti a chwalu teuluoedd, mae'n deg gofyn sut mae wyth ohonon ni o ddwy genhedlaeth wahanol yn gallu cyd-dynnu gystal. Mi fydd rhywun yn gofyn i Dad o hyd, "Dach chi'n ffraeo?' A'r un ydi ei atab o bob tro: 'Na, mae'n llefydd ni'n ddigon mawr, 'dan ni ddim dan draed ein gilydd!' Ond mae mwy iddi na hynny. Rydan ni'n parchu'n gilydd i ddechra, ac mae'r cefndryd yn fwy o frodyr na dim arall. Rydan ni'n gallu cega ac anghytuno, felly, a dal i fod yn ffrindia. Mae gynnon ni fel y genhedlaeth iau barch mawr at y genhedlaeth hŷn. Dim ond un nain dwi'n ei chofio, gan i'r llall a'r ddau daid farw cyn i mi eu nabod, a dwi 'di dibynnu felly ar fy nhad a'i frodyr sy efo ni bob dydd.

Mi ddysgais i lawer ganddyn nhw gan fod pob un yn wahanol. Mae Yncyl Huw yn fecanic da ac wrthi'n trwsio neu'n weldio o hyd, ac mi fyddwn i wrth fy modd yn ei helpu ar Sadyrnau pan oeddwn i'n hogyn. Mae Yncyl Wil wedyn yn gallu troi ei law at bopeth bron. Y fo oedd yn godro yn y teulu ond mae o'n adeiladwr cywrain hefyd, yn dda efo trydan ac yn barod i drio unrhyw beth. Yncyl Teg wedyn, y fo ydi'r bugail efo diadell o ddefaid sy gystal ag unrhyw un yn y wlad, ac mae ei wybodaeth am nodau clustiau defaid yn anhygoel. Mi ddysgais i lawer gan bob un ohonyn nhw ac mae'r meibion yn tynnu ar ôl eu tadau yn eu diddordebau a'u harbenigedd.

Yn bendant, tebyg i Dad ydw i, yn gyfrifol am waith papur y cwmni fel y bydda fo, yn fwy o *all-rounder* nag arbenigwr, yn hoffi dysgu cŵn, yn aflonydd ac ar fynd o hyd, yn gegog – ond, choeliwch chi byth, ddim mor gegog â fo!

Fi trwy lygaid fy nhad

Yr hyn welwch chi gewch chi, dyna Gareth. Fo 'di ysgrifennydd y cwmni ac mae o'n un da, yn treulio rhyw ddau ddiwrnod yr wythnos yn gneud y gwaith. Fo sy'n trefnu gan amla hefyd, yn trefnu'r criw ohonon ni ac yn penderfynu ar waith y dydd. Os bydd o'n deud ein bod i gyfarfod am chwech y bora, mi fydd yno am chwech. Mae o'n dda am hyfforddi cŵn defaid hefyd. Mi gafodd o gi pan oedd o'n hogyn ac mi ddofwyd merlan iddo fo er mwyn meithrin yr awydd i ffarmio, ac mi weithiodd.

Pan oedd o'n hŷn mi gafodd gobyn gan fod merlod y Carneddi yn fach, ac un diwrnod mi fu'n rhaid i mi ei reidio, a phan ddaethon ni at y wal mi neidiodd drosti ac mi ddisgynnais oddi ar ei gefn nes 'mod i'n fflat ar lawr. Dyna pryd y gwnes i ddeall bod Gareth wedi bod yn dysgu'r ferlan i neidio ac wedi bod yn gosod rhwystrau a chodi ffensys i wneud hynny, heb ddeud dim am y peth wrth neb.

Mae o'n berson cymdeithasol iawn hefyd, yn gynghorydd yn Llanfairfechan ac yn faer eleni (2011–12).

Mae Dad yn credu'n gry yn yr olyniaeth. Fo wnaeth fy meithrin i i fod yn ffarmwr ac mae o ar hyn o bryd yn gweithio ar Siôr, y mab hyna. Mi brynodd 30 o ieir i Siôr pan oedd o'n ddeg oed ac mae o'n gwerthu wyau ac yn prynu mwy o ieir efo'r arian. Mae Siôr yn fêts mawr efo'i daid a'i nain, a'i nain sy'n ei helpu i olchi a phacio'r wyau.

Mae'r ymdeimlad o olyniaeth yn un elfen sy'n ein cadw efo'n gilydd, ond mae yna elfen arall hefyd, sef y merchaid yn ein bywydau, y gwragadd. Dwi'n licio meddwl bod rhan o gymeriad Mam yn ogystal â Dad yndda i, sef dwyster, dyfnder a theimlad. Yn bwysig iawn, y gwragadd sy'n gneud bwyd i ni i gyd hefyd ac mae hynny'n ein cadw efo'n gilydd. Mae'n siŵr y caf fy nghondemnio am ddeud hyn, yn enwedig gan y rhai sy'n credu bod yn rhaid i ddynion a merchaid fod yn gyfartal ac y dylia pawb fod yr un fath, ond mae'r gwaith ar ffermydd mynyddig yn galad. Bydd llawer ohonon ni wrthi efo'n gilydd yn amal mewn tywydd mawr, ac ar adega fel cneifio a hel defaid mae deg i ddwsin ohonon ni isio cinio neu de a does gynnon ni ddim amsar i neud bwyd, felly dyna fydd gwaith y merchaid. Mae hynny'n ffaith a rhaid cofio mai eu bwyd da nhw sy'n ein cynnal ni.

Ond nid diwydrwydd y merchaid yw'r elfen bwysica sy'n ein cadw efo'n gilydd ond y ffaith nad oes yr un ohonyn nhw isio mwy na'r lleill. Does neb yn chwennych car crand neu ddillad drudfawr o siopau Llundain ac felly does yna ddim cenfigen – mi fasa'r nodwedd honno yn creu anhrefn llwyr yn y cwmni tasa hi'n bodoli.

Mae gan Dad frawd arall sy ddim yn rhan o'r cwmni, sef Robert – Yncyl Bobi, y brawd hyna, a fagwyd gan ei daid a'i nain ac sy'n ffarmio Coed Hywel, Bangor, efo'i fab, Robert Tudur, a'i fab yntau, Dewi Lloyd. Mae yna gysylltiad agos efo nhw hefyd. Tudur ydi cadeirydd Cymdeithas y Porwyr yr ydan ni i gyd yn aelodau ohoni, ac mae Eleri ei chwaer yn un o ffrindia Rhian. Braf ydi cael bod yn aelod o deulu mawr, a dydi petha ddim yn gorffan yn y fan yna chwaith gan fod yna ail gefndryd yn ffarmio yn yr ardal hefyd.

Gan Dad y dysgais i'r rhan fwya dwi'n 'i wybod am ffarmio, ac am fywyd hefyd. Mae ganddo fo straeon lu ac atgofion am bobol rydan ni wedi'u colli, ac mae'r rhain yn cael eu trosglwyddo o genhedlaeth i genhedlaeth ac yn dysgu llawer i ni'r un pryd. Lawer gwaith mae o wedi sôn am y ffarmwr ddwedodd y bydda yna geiniog ar gaead ei arch ddiwrnod ei angladd ac y gallai unrhyw un a deimlai fod arno arian iddo ei chymryd. Roedd o'n berffaith siŵr na fydda neb yn ei chodi gan na fu mewn dyled 'rioed.

Mi fydd o'n sôn am galedi bywyd yn y gorffennol hefyd ac am ddyddynnwr o'r enw Robert Thomas a gollodd fuwch – colled fawr i ffarmwr tlawd – ac a ddwedodd am ei ddyddyn y min nos hwnnw, 'Diolch fod y tw'llwch yn dod i guddio'r diawl lle.'

Nid tir ac eiddo ydi'r unig etifeddiaeth y mae'n bwysig ei

throsglwyddo o genhedlaeth i genhedlaeth; mae coelion a straeon a dywediadau y rhai a aeth o'n blaena ni'n bwysig hefyd, a'r cyfan yn rhan o'r hyn sy'n ein dal wrth ein gilydd yn un teulu mawr.

CYFARFOD RHIAN

Mi fydda criw ohonon ni hogia ifanc yn mynd i'r Octagon, clwb nos ym Mangor, ar nos Sadwrn – cael bws neu fws mini i Fangor a dod adra mewn tacsi. Ar y nos Sadwrn arbennig yma pan welais i Rhian am y tro cynta roedd Ieuan fy nghefndar yn y criw. Yr arferiad oedd mynd rownd y pybs ym Mangor i ddechra a landio yn yr Octagon yn hwyrach.

Rywbryd yn ystod y min nos mi welais i Ieuan yn clebran efo criw o genod ac roedd Rhian yn un ohonyn nhw. Fues i ddim yn siarad efo hi ond roedd hi wedi dal fy llygad. Mae hon yn beth ddel, meddwn i wrthyf fy hun. Ond ches i ddim cyfle i dorri gair â hi; mi ddoth y tacsi ac roedd yn rhaid inni fynd am adra.

Yn y Village Inn yn Llanfairfechan y bydden ni'n cyfarfod cyn mynd am Fangor, a'r nos Sadwrn ganlynol doedd Ieuan ddim yno. A deud y gwir, dim ond dau ohonon ni oedd yno, 'Mike the Bike' a fi. Doeddan ni ddim yn mynd i dalu am dacsi jyst y ddau ohonon ni, ac mi ddwedodd Mike y basa fo'n mynd ar y moto-beic a finna efo fo.

Roedd ganddo fo feic cry ac roedd o'n gneud ymhell dros gan milltir yr awr a finna'n swp sâl. A deud y gwir, dwi'n casáu moto-beics a dyna'r tro cynta a'r tro ola i mi fynd ar un.

Mi aeth Mike at ei gariad a finna i'r Octagon ac oedd, roedd yr hogan roeddwn i wedi'i ffansïo yno! Mi fages blwc i fynd ati i siarad a 'dach chi'n gwybod be, dwi ddim yn siŵr ydi ffarmwr i fod i'w ddeud o, ond *love at first sight* oedd hi yn fy hanes i.

Mi dreuliais weddill y min nos yn ei chwmni, ond doedd gen i ddim lifft adra gan fod Mike wedi mynd at ei gariad, a dyma fi'n deud hynny wrth Rhian. Mi ddwedodd hitha fod ei thad a'i mam yn y pictiwrs ac y basan nhw'n mynd â fi adra, felly'r noson gynta i mi gyfarfod Rhian mi ges i lifft adra gan ei mam a'i thad. Cwmni ei rhieni – cychwyn da i garwriaeth! Ac mae ei thad yn cofio'r achlysur yn iawn a'i mam yn cofio'r tro cynta i mi ymweld â'u cartra nhw yn Sir Fôn.

Fi trwy lygaid fy nhad yng nghyfraith

Roeddwn i'n rhyw lun o nabod tad Gareth cyn nabod Gareth. Gan 'mod i'n ffarmio yn Llangwyllog mi fyddwn i'n mynd efo Dad bob blwyddyn i sêl ddefaid fawr yn Aber, sêl oedd yn cael ei chynnal gan Bob Parry yr ocsiwnïar. Roedd Rol, tad Gareth, yn ddyn pwysig iawn yn y sêl honno ac mi fydda pawb yn gwybod pan fydda fo'n cyrradd y sêl. Roedd defaid Aber yn cael eu cyfri yn ddefaid da bob amsar.

Ond mynd â Gareth adra oedd y tro cynta i mi fynd i fyny i Dy'n Llwyfan. Gan fod gen i dair o genod roeddwn i'n gorfod bod yn dacsi yn amal iawn, ac roeddwn i'n nôl Rhian o'r Octagon ym Mangor – yr hen County Theatre – un nos Sadwrn ac roedd Gareth yn styc! Wedi dod yno efo'i ffrind ar y moto-beic, hwnnw'n cyfarfod ei gariad, a doedd gan Gareth ddim lifft adra, felly doedd dim i'w neud ond mynd â fo yn y Cortina. Doeddwn i ddim wedi'i weld o o'r blaen – mynd â fo adra o'r Octagon oedd y tro cynta i mi ei gyfarfod. Dechrau od i garwriaeth a deud y gwir, y tad a'r fam yng nghyfraith yn mynd â'r mab yng nghyfraith adra y noson gynta!

Dwi wedi cydweithio llawar efo'r teulu ers hynny, yn enwedig ar ffarm Plas Newydd, ffarm maen nhw'n ei rhentu yn Sir Fôn. Maen nhw'n deulu mawr ac mae llawer o bobol yn Nhy'n Llwyfan bob amsar – teulu mawr, busnes mawr a deud y gwir, a ffarmwrs da.

Mae Rhian wedi bod yn lwcus iawn, a finna hefyd, yn lwcus o fy nhri mab yng nghyfraith ac o'm hwyrion a'm hwyresau, gan gynnwys tri phlentyn Gareth a Rhian – Siôr, Rolant a Mari Non, y tri'n hollol wahanol a Rolant, y canol, yn debyg i mi.

Fi trwy lygaid fy mam yng nghyfraith

Wnes i ddim sylwi llawer arno fo'r noson yr aethon ni â fo adra o'r Octagon, ond dwi'n cofio'r tro cynta iddo fo ddod acw i'n tŷ ni. Roeddan ni'n byw ar y ffarm yn Llangwyllog, Ynys Môn, ond dim ond y fi oedd yn digwydd bod adra. Pnawn Sul braf yn yr haf oedd hi, ac mi gwela i o rŵan, yn dod trwy'r drws a gwallt melyn cyrliog at ei sgwydda ganddo fo, a llygaid glas, glas. Roedd o'n dipyn o bishyn a deud y gwir, mewn *Bermuda shorts* lliwgar a chrys reit ddel oedd yn matshio. Roedd o'n amlwg yn nabod ei liwia ac yn gwybod sut i wisgo. Ond dydi hwn ddim llawar o ffarmwr, meddwn wrthyf fy hun. Mor anghywir oeddwn i!

Mi wnaeth o greu argraff yn syth: roedd rhyw gynhesrwydd yn dod ohono fo, a doedd yna ddim swildod yn perthyn iddo fo. Roedd o'n agorad iawn. Wrth gwrs, doeddwn i ddim yn gwybod ar y pryd be fydda'n dod o'r garwriaeth. Ifanc oedd Rhian, deunaw oed ac yn y coleg ym Mangor, a fynta flwyddyn a hannar yn hŷn, yn ugian oed.

Mi symudais i yn y man i fyw i Fangor Ucha i dŷ o'r enw Noddfa yn y Cilgant, tŷ hwylus dros ben i griw o hogia ifanc. Mi fydda fo a'i ffrindia yn dod draw yn amal ar ôl bod allan ar nos Sadwrn ac yn aros dros nos. Mi ddaeth o unwaith â'i grys o wedi rhwygo, dro arall efo cỳt ar ei wynab – ffrind iddo fo isio paffio o hyd!

Un castiog oedd o. Mi oedd Rhian isio ffrog arbennig i fynd i'r Octagon un tro a hitha bryd hynny'n Miss Bangor ac wedi bod yn Miss Sir Fôn hefyd. Roeddwn i wedi cael ffrog sbesial iddi mewn siop elusen. Ffrog ddu wedi'i chrosio oedd hi, yn dangos popeth drwyddi gan fod tylla mawr ynddi. Mi wisgais i hi i weld sut roedd hi'n edrych a fasa hi'n ffitio. A be wnaeth Gareth ond fy ngwthio fi allan drwy'r drws ac i'r stryd, a phwy oedd yn digwydd pasio ond

Dilys Jones, dynas arbennig iawn, prif flaenoras Capel Twrgwyn ar y pryd. Mi gafodd gymaint o sioc alla hi ddeud dim ond 'O! Elisabeth!', a finna'n gweddïo ar i'r ddaear fy llyncu.

Blwyddyn fuo Rhian yn y coleg. Doedd hi ddim yn hoffi ei chwrs ac mi welodd fod swydd yn mynd yn adran hysbysebu'r *Western Mail*. Mi driodd amdani a'i chael, ac yno y bu hi am ddwy flynadd. Ond wedyn mi benderfynodd y papur symud y cyfan i Gaerdydd a doedd y syniad o Rhian yng Nghaerdydd ddim wrth fodd Gareth o gwbwl. Felly mi roddodd Rhian y swydd i fyny. Roedd cariad yn bwysicach na swydd! Mi briododd i mewn i'r unig deulu yng Nghymru, hyd y gwn i, lle mae pedwar brawd yn dal efo'i gilydd ac yn ffarmio, efo'u meibion, fel un cwmni.

Dydi cael eich hebrwng adra gan rieni'r ferch ar eich noson gynta allan efo hi ddim y ffordd ora o ddechra perthynas, faswn i'n meddwl, ond mi weithiodd y tro yma achos mae hi wedi para. Cofiwch, mi gawson ni gwrdd heb ei rhieni y noson ganlynol, yn yr Antelope wrth Bont y Borth. Mawrth 1987 oedd hi ac mae pum mlynadd ar hugian ers hynny, ond dwi'n dal i'w charu hi gymaint â'r diwrnod cynta ddaru ni gyfarfod. Rydan ni, yn ogystal â bod yn gariadon, yn ffrindia hefyd, a falla mai dyna'r gyfrinach.

Mi fyddwn ni'n ffraeo fel ci a chath weithia, achos dwi'n hen uffarn styfnig, ond 'dan ni'n bartneriaeth dda dwi'n meddwl, hi'n gwylltio fel matsian ac yna'n anghofio a finna'n mulo am ddau ddiwrnod! Fi'n gweithio ar y ffarm, hitha adra'n magu'r plant. Mi wnaed penderfyniad, pan fydden ni'n cael plant, y bydda hi'n aros adra i'w magu nhw ac y gwnaen ni ar lai er mwyn rhoi magwraeth iawn iddyn nhw. Faswn i ddim wedi medru gneud hannar yr hyn dwi wedi'i neud mewn bywyd heb Rhian. Mae bywyd yn galad ar y ffarm, ac wrth neud cymaint efo'r cyfrynga hefyd mae amsar yn brin a'r dyddia'n llawn.

Mi fuon ni'n byw efo'n gilydd yn Nhy'n Llwyfan cyn

priodi ac mi anwyd ein plentyn cynta yn 1998. Wedyn dyma benderfynu priodi yng Nghapel Horeb yn Llanfairfechan ym mis Awst 1999 a chael y brecwast yn y Split Willow. Mae amryw o'n ffrindia ni wedi priodi ac wedi gwahanu erbyn hyn, a dwi'n meddwl ei bod hi'n bechod dros y plant pan fydd teuluoedd yn gwahanu. Y nhw sy'n diodda fwya, a liciwn i ddim gweld fy mhlant i yn mynd trwy brofiad felly.

Mae barn Rhian yn bwysig iawn i mi ac mi fyddwn ni'n trafod llawer, ond tybad be ddwedith hi amdana i?

Fi trwy lygaid Rhian

Mi wnes i syrthio mewn cariad efo Gareth y tro cynta gwelais i o, do, dros fy mhen a 'nghlustia, ac mi fyddwn i'n meddwl amdano fo bob nos. Mi fuon ni'n gariadon am chwe mlynadd cyn i mi symud i mewn i fyw efo fo yn Nhy'n Llwyfan fel yr oedd o cyn ei adnewyddu.

Doedd gen i ddim syniad am y math o fywyd y byddwn i'n ei fyw ar ôl symud. Mi fuo Gareth yn brysur yn adnewyddu'r tŷ bob munud sbâr ac roeddwn inna'n ei helpu o pan allwn i, yn enwedig ar benwythnosa. A doedd hi ddim yn job hawdd. Mewn un stafall roedd yn rhaid stripio pymthag haen o bapur wal!

Mi wnes i sylweddoli yn fuan iawn fod bywyd yn galad a bod ffarm fynydd wrth droed y Carneddi dipyn yn wahanol i ffarm ar wastatir Sir Fôn. Ond fydda Gareth byth yn dod â'i waith na'i broblema ffarmio i mewn efo fo i'w gartra, ac mae o felly o hyd. Dw inna wedi dysgu erbyn hyn i beidio â gofyn dim byd iddo fo pan fydd o wedi blino. Ac mae o'n blino, coeliwch chi fi.

Roedd yn rhaid i mi gynefino efo rhythm bywyd ffarm a deall bod amsar prydau bwyd yn bwysig. Gareth fydd yn gneud ei frecwast ei hun, ac wedyn bydd cinio am hannar dydd a swper am hannar awr wedi pump.

Rydw i'n teimlo'n saff efo Gareth ac mae ei farn o wastad yn gadarn a doeth. Mae'r gwaith papur yn gymhleth iawn erbyn hyn ond fydda i byth yn gneud dim ohono – nid bod yna gyfrinachau, gan mai busnes teuluol ydi o, ond fydda i ddim yn ymyrryd, ar wahân i'r adeg pan wnes i ei roi o ar ben ffordd pan gafodd o gyfrifiadur am y tro cynta.

Mae Gareth yn adnabyddus iawn, os nad yn enwog, mewn llawer cylch erbyn hyn ac mae'n bosib bod rhai'n meddwl ei fod o'n un am wthio'i hun a dangos ei hun. Ond dydi o ddim. Mi alla i ddeud â'm llaw ar fy nghalon na wnaeth o erioed chwennych amlygrwydd, ond mae o'n teimlo mor gry am betha nes bod yn rhaid iddo ddeud ei farn. Mae o'n credu ein bod ni fel Cymry yn amal yn ofni deud be sy ar ein meddylia ni ac yn gadael i bawb a phopeth gerddad droston ni. Wnaiff o mo hynny – mi ddwedith ei farn yn ddiflewyn-ar-dafod, ond heb wylltio. Yn wir, mi ddwedith betha na wnaiff neb arall eu deud. Fydd o byth yn difaru deud rhywbath ond mae o'n amal yn difaru peidio â'u deud.

Mae Gareth yn treulio hynny o amsar fedar o efo'r plant, ond mae bywyd mor brysur allwn i ddim mynd allan i weithio taswn i'n dymuno. Y cyfan alla i ei neud ydi ysgafnhau y beichiau a throi at y piano a miwsig i gael gollyngdod pan fydd gen i funud i'w sbario. Mae garddio hefyd yn rhyddhad. Dwi wrth fy modd yn ffidlan yn yr ardd, gardd lysiau a gardd flodau.

Mae o'n syniad henffasiwn falla, fel mae llawar o'n ffarmio ni'n henffasiwn, ond mi fydda i'n meddwl bod i wragadd gael dwy swydd, gweithio am gyflog a gweithio adra, yn achosi llawer ysgariad. Rydw i, fel Gareth, yn credu'n gry mewn rhoi sefydlogrwydd i'r plant.

3

PWY FAGA BLANT?

Y PLANT SY wedi profi i mi mai soffti ydw i go iawn. Falla fod rhai pobol yn cael yr argraff anghywir amdana i am 'mod i wastad yn barod i ddeud fy neud ac yn meddwl 'mod i'n foi calad. Tydw i ddim, dwi'n sobor o galon feddal ac mi dwi wedi cael prawf o hynny sawl gwaith efo 'mhlant. Dyma dair enghraifft i chi ac, er mwyn cadw'r ddysgl yn wastad, un efo pob plentyn.

SIÔR

Pan oedd Siôr, y mab hyna, yn ddyflwydd oed roedd o'n chwara yn y tŷ ac mi redodd i mewn i stafall lle roedd yna ddrôr wedi'i gadael yn hannar agorad. Mi faglodd a disgyn ar ei wynab yn erbyn congol y drôr ac mi blygodd ei ddau ddant blaen reit yn ôl nes eu bod yn fflat yn erbyn top ei geg.

Sôn am weiddi a chrio a gwaedu. Rhaid ei fod o mewn poen mawr ac roedd o'n edrych fel tasa rhywun wedi'i daro yn ei geg efo mwrthwl. Doedd ond un peth amdani! I Ysbyty Gwynedd â ni ar unwaith, fi a fo a Rhian. Mi gawson ni fynd drwodd yn weddol sydyn ac roedd Siôr wedi tawelu rhyw gymaint erbyn hynny ond yn gorfod ymladd am ei anadl gan ei fod yn diodda o asthma. Roedd y nyrs yn Gymraes ac mi ddwedodd y bydda'r doctor yn dod i'w weld mewn rhyw ddeng munud.

Dyma'r doctor i mewn, boi efo locsyn hir ac uffarn o

dyrban mawr ar ei ben, ac mi 'chrynodd Siôr am ei fywyd pan welodd o fo a dechra gweiddi crio wedyn. Doedd o 'rioed wedi gweld y ffasiwn beth o'r blaen a châi'r doctor ddim mynd yn agos ato. Dechreuodd weiddi mwrdwr a doedd gan y doctor ddim ffordd o gwbwl efo fo. Roedd Siôr wedi dychryn mwy efo fo nag a wnaeth o pan syrthiodd o a tharo'i geg.

Mi ddwedodd y nyrs y basa hi'n cael doctor arall ato ac mi ddaeth Eidalwr y tro hwn, boi ifanc, ac mi welodd yn syth fod yr hogyn wedi panicio. Mi ddwedodd nad oedd gobaith iddo fo allu gneud dim i'r bachgen. 'Be dwi isio i chi neud,' medda fo , 'ydi rhoi eich bys yn ei geg a thynnu'r dannadd yn ôl i'w lle.'

Pan glywais i hynny roeddwn i bron â llewygu ac mi fu'n rhaid i mi eistedd i lawr. Doedd Rhian fawr gwell, yn wyn fel y galchan. Ond roedd yn rhaid ufuddhau, er bod 'y nghoesa i'n gwegian. Dim ond symud dau ddant yn ôl i'w lle oedd angan ei neud, doedd neb yn gofyn i mi dynnu ei bendics na dim byd felly, ond mi fuo bron i mi orfod gwrthod.

Beth bynnag, dyma Rhian yn cydio ynddo fo a finna'n rhoi 'mys yn ei geg a meddwl y bydda'i ddannadd o'n symud yn hawdd. Ond roeddan nhw'n sownd fel cloch a thrwy draffarth y llwyddais i i'w cael yn ôl i'w lle. Ond rywsut, rhyngon ni, mi lwyddon ni ac mi ddaethon nhw yn eu hola yn iawn. Dannadd cynta oeddan nhw, wrth gwrs, ond mi fasa'u colli nhw wedi effeithio ar ei ail ddannadd o.

Roedd yr hen foi bach yn iawn yn syth wedyn, ond doeddwn i ddim! Dwi byth isio profiad tebyg eto. Mi alla i neud unrhyw beth i anifail, boed gi neu ddafad neu fuwch, ond fy mhlant fy hun? Stori hollol wahanol!

Mae Siôr yn dair ar ddeg erbyn hyn ac yn ddisgybl yn Ysgol Tryfan, Bangor.

Fi trwy lygaid Siôr

Mae Dad yn ddyn seriws ond yn un doniol hefyd. Oes, mae ganddo fo lot o hiwmor ac mae bywyd yn gyffrous pan fydd o adra. Mae hi'n hwyl i fod efo fo a dydi bywyd byth yn ddiflas, byth yn *boring*. Mi fydda fo'n chwara llawer efo ni pan oddan ni'n blant bach. Mi neith o wylltio efo ni am funud, ond wedyn mae'r cwbwl drosodd. Does dim posib deud 'na' wrtho fo.

Weithia mae o i ffwrdd am ddyddia ac mae hi'n od iawn hebddo, felly mi fydda i'n edrych ymlaen at ei weld o'n dod adra – mae'n iawn am ddiwrnod neu ddau, ond wedyn mi fydda i'n ei golli o. Mi fydd yn gadal gwaith i mi i'w neud tra bydd o i ffwrdd, a rhaid i mi fod wedi'i neud cyn daw o adra, ond mae hynny'n hawdd.

Dwi'n cael dipyn bach o stic gan rai plant erill weithia pan fydd o wedi bod ar y teledu, ond dim byd mawr, a dydi hynny'n poeni dim arna i. Dwi'n browd iawn o Dad ac o bob dim mae o'n ei neud. Dwi'n teimlo'n saff efo fo ac os oes problam y fo sy'n delio efo hi. Dydi o ddim yn fy sbwylio i ond mi dwi'n cael arian ganddo fo pan dwi angan. Mae o wrth ei fodd yn ffarmio, a finna hefyd. Er bod gwaith ffarm yn waith saith diwrnod yr wythnos bob dydd o'r flwyddyn mae o wedi dangos i mi mor dda ydi bywyd ar y ffarm. Mae'n teulu ni yma ers tri chan mlynadd a dwi wrth fy modd yn meddwl y bydda i, ryw ddiwrnod, yn parhau'r traddodiad o ffarmio.

Doedd helynt dannadd Siôr ddim yn greisis wir, dim ond yn ymddangos felly ar y pryd, ond roedd ein profiad efo Rolant yn wahanol iawn, yn brofiad erchyll a deud y gwir, ac mae petha'n llawer gwaeth pan fyddwch chi ymhell o adra rywsut.

ROLANT

Roedd hi'n Galan Gaeaf a Rhian yn cael ei phen-blwydd, a dyma benderfynu bwcio tri diwrnod o wyliau yn Disneyland Paris, mynd ar y dydd Iau a dychwelyd ar y dydd Sul gan y byddwn i, ar y dydd Llun, yn dechra ffilmio'r rhaglan *Mountain* efo Griff Rhys Jones.

Dreifio i Lerpwl ac awyran oddi yno i Baris, wedyn bws o'r maes awyr i'r gwesty. Roedd o'n westy gwych a'r plant wrth eu boddau gan fod digon yno iddyn nhw ei neud. Popeth yn mynd fel watsh.

Doedd o fawr o wyliau i Rhian a fi a deud y gwir gan fod y plant yn fach a Mari'n dal mewn coets am gyfnodau hir gan fod cerddad o gwmpas am ddiwrnod cyfa'n ormod iddi. Fi oedd yng ngofal y goets ar ddiwrnod Calan Gaeaf pan aethon ni i Disneyland Paris ac roedd hi'n hen ddiwrnod tamp, annifyr. Mi fuon ni ar bob reid oedd yn y lle, a gan fod hynny'n waith digon blinedig dyma fi'n penderfynu, gan ei bod yn ben-blwydd ar Rhian, y bydden ni'n cael cinio nos yn un o dai bwyta drud Planet Hollywood.

Mi gawson ni amsar ardderchog – bwyd da, pawb wrth eu boddau a phawb yn cael be oeddan nhw isio. Ar y ffordd allan roedd wal fawr ac arni siapiau dwylo pobol enwog oedd wedi bod yno, a dyma dreulio rhai munuda yn sbio arnyn nhw. Roedd pobol fel Clint Eastwood, Sylvester Stallone ac amryw o sêr eraill Hollywood yno ac roedd y plant wedi dotio.

Yn sydyn dyma fi'n sylweddoli nad oedd Rolant efo ni. 'Lle mae Rolant?' medda fi a sbio rownd ond doedd dim golwg ohono fo yn unman. Roedd Rolant yn blentyn na fydda byth yn eich gadael, fel ci yn 'ych swdwl chi drwy'r amsar. Tasa Siôr neu Mari wedi diflannu faswn i ddim yn synnu cymaint, ond Rolant? Byth! Bob amsar wrth fy ochor, yn amal yn gafael yn fy llaw, angan sicrwydd, yn enwedig mewn tyrfa.

Roedd hi'n wyth o'r gloch ac yn noson dywyll efo goleuada ym mhobman. Roedd pobol fel chwain yno a phob math o gymeriadau mewn gwisgoedd amryliw ac ar stilts o gwmpas y lle. Mor hawdd i rywun gipio plentyn. A finna yn eu canol yn ffarmwr o odre'r Carneddi, roeddwn i fel 'sgodyn allan o ddŵr, ac mi wnes i banicio. Yn llwyr!

'Ma rhywun wedi'i ddwyn o,' medda fi wrth Rhian. 'Aros di yn fama i mi fynd i chwilio am bobol seciwriti.' Ac i ffwrdd â fi at y brif fynedfa.

Roedd dau ddyn mewn siacedi melyn yno yn siarad efo rhyw ddyn arall wrth y giât, a dyma fi atyn nhw, ond doedd gan y ddau fawr o Saesneg, a finna'n trio deud bod rhywun wedi dwyn 'y mhlentyn i a bod rhaid iddyn nhw gau y giatiau.

'Rwyt ti'n lwcus,' medda'r dyn arall. 'Fi 'di pennaeth seciwriti.' Ac roedd ganddo fo Saesneg perffaith. 'Rŵan, pwylla,' medda fo. 'Pryd 'nest ti 'i golli fo?'

'Rŵan jest,' medda fi. 'A dwi'n gwbod na fasa fo byth yn fy ngadal i ohono'i hun. Ma rhywun wedi'i ddwyn o.'

'Gad i mi ddeud rhywbath wrthat ti,' medda fo. ''Dan ni'n cael hannar dwsin o achosion fel hyn bob dydd a'r cyfan sy wedi digwydd ydi bod y plant wedi crwydro oddi wrth eu rhieni a mynd ar goll.' Ac yna ei gwestiwn cynta: 'Be oedd o'n 'i wisgo?'

Taswn i wedi cael cynnig deng mil o bunnoedd faswn i ddim wedi gallu cofio sut ddillad oedd ganddo. Fel arfer dwi'n gallu rheoli fy hun yn reit dda, ond roedd hi fel tasa 'mrên i wedi fferru. Dyma fo'n deud rhywbath wrth y boi arall yn Ffrangeg a finna'n gweiddi'n wallgo arno fo, 'Close the bloody gate!'

'Fedrwn ni ddim, fedrwn ni ddim gneud hynny,' medda fo. 'Tyrd, mi awn ni'n ôl i'r lle ddaru chi 'i golli o.'

Dyma gyrraedd yn ôl at y lleill, ac wrth gwrs roedd

Rhian yn gwybod yn iawn be oedd o'n 'i wisgo. A deud y gwir, roedd hi'n llawer mwy cŵl na fi!

Mi ddwedodd y boi seciwriti wrtha i am aros lle roeddwn i.

'Dim ffiars,' medda fi, 'dwi'n mynd i chwilio amdano fo.'

'Wnei *di* byth 'i ffindio fo,' medda fo wrtha i. 'Mae o jyst wedi mynd ar goll ac mi ddown *ni* o hyd iddo fo.'

Ond be oedd yn mynd trwy fy meddwl i, yn rhyfadd iawn, oedd y bydda'n rhaid mynd adra hebddo fo, a be oeddwn i'n mynd i ddeud wrth Mam a Dad. Roedd pob dim yn troi yn fy mhen; roeddwn i fel taswn i wedi colli rheolaeth ar fy meddwl fy hun. Dwi 'rioed wedi cael y fath brofiad na chynt nac wedyn. Roeddwn i fel dyn hannar call, ar goll. Dyma benderfynu cerddad i fyny'r brif stryd a thrio meddwl, tasa rhywun wedi'i ddwyn o, lle fasan nhw'n mynd â fo, i lawr rhyw hen lwybrau tywyll a ballu.

Roeddwn i fel dyn wedi hurtio, yn mynd yn erbyn y lli, yn taro yn erbyn pobol, a'r lle fel ffair – pobol wedi'u gwisgo fel *pumpkins* yn taro pawb ar eu penna efo polion rwber, amryw ar stilts, pawb yn symud a phawb yn chwerthin, a sŵn canu a miwsig dros y lle, y cyfan yn fyddarol. Finna fel tarw gwyllt yn rhuthro ymlaen, ddim yn siŵr iawn be oeddwn i'n ei neud, yn chwilio'n ofer am Rolant, i lawr amball lwybr tywyll, rownd cefna amball adeilad, yn ôl i'r brif stryd, ymlaen ac ymlaen am dri chwartar awr oedd yn teimlo fel oriau lawer ar y pryd, a'r pryder a'r gofid yn gyfog yn fy llwnc. Ond doedd dim golwg o Rolant ac, yn fy meddwl i, fel roedd yr amsar yn cerddad roedd y gobaith o ddod o hyd iddo fo'n pylu.

Ymhen hir a hwyr, ar ôl edrych ym mhob cilfach ac i lawr pob llwybr, dyma nesu at ben y stryd lle roedd y dyrfa'n llai, ac mi welais ddau foi seciwriti, un dyn du mawr ac un boi llai, yn cael smôc. A dyma fi atyn nhw. 'I've lost my boy,' medda fi drosodd a throsodd. Doedd ganddyn nhw fawr ddim Saesneg ond mi ddaru nhw ryw lun o ddeall a holi rhywbath. 'Rolant,' medda fi ac mae'n amlwg 'mod i wedi rhoi'r atab cywir i'w gwestiwn achos dyma fo ar y ffôn bach a dechra siarad efo rhywun a deud 'wî wî' bob hyn a hyn. 'Good,' medda fo, neu rywbath tebyg, wrth ddiffodd ei ffôn. 'We found him!'

Wel, dyma fi'n gafael yn y boi a rhoi sws iddo fo, ac roedd o wedi dychryn am ei fywyd a'r llall yn chwerthin. Ond roedd o'n deimlad mor... wel, dwi 'rioed wedi teimlo dim byd tebyg. 'Go, go,' medda fo, a dyma fi'n mynd yn ôl at y man lle roedd Rhian, gan ruthro trwy'r dyrfa fel peth gwirion, ond roedd hi'n haws erbyn hyn gan 'mod i'n mynd efo lli'r bobol a ddim yn ei erbyn.

A dyna lle roedd Rolant yn sefyll efo'r boi seciwriti a'i fam, a dyma fi jyst yn gafael ynddo fo, a phan ddaw'r teimlad ges i bryd hynny yn ôl i mi mae o'n dal i dynnu dŵr i'm llygaid i.

Be oedd mei nabs 'di neud fel roeddan ni'n dod allan o'r bwyty ond dilyn dynas oedd yn gwisgo yr un gôt a'r un trywsus yn union â Rhian, gan feddwl mai ei fam oedd hi. Roedd o wedi'i dilyn hi ar draws y stryd ac i mewn i adeilad mawr, rhyw fath o archfarchnad gwerthu teganau, ac roedd o wedi bod yn cerddad i fyny ac i lawr yn sbio ar y peth yma a'r peth arall. Doedd o ddim wedi panicio o gwbwl, yn wahanol iawn i'w dad!

Mi sylwodd un o staff y siop fawr ei fod o ar ei ben ei hun ac mi aeth ato a gofyn iddo be oedd ei enw. Ac wedyn, wrth gwrs, roedd y system ddiogelwch wedi'i rhoi ar waith a'r holl staff seciwriti wedi cael ei enw.

Am dri chwartar awr roeddwn i mewn panig llwyr ac roedd y teimlad ges i wedyn, y teimlad o ryddhad, yn anhygoel. Roeddwn i wedi bod yn nau begwn eitha emosiwn, a'r swing o un i'r llall wedi gneud i mi deimlo'n hollol ddryslyd. 'Nes i mo'i adael o allan o 'ngolwg am weddill yr amsar; a deud y gwir, dwi ddim yn meddwl i mi ei ollwng o nes inni gyrraedd yn ôl i'r gwesty.

Drannoeth roeddan ni'n dychwelyd adra, ac fel tasa colli Rolant ddim yn ddigon, mi gawson ni ein gyrru i'r maes awyr anghywir a finna'n gorfod bod adra ar gyfar ffilmio *Mountain*. Awr oedd gynnon ni i ruthro o un maes awyr i'r llall ac mi gostiodd tua hannar can ewro i ni, ac i ddim pwrpas yn y diwadd – roeddan ni'n rhy hwyr i fynd ar yr awyran.

Mi aeth yn uffarn o ffrae rhyngddo i a'r ferch oedd yn ein hatal ni rhag mynd ar yr awyran, er bod ugian munud cyn y bydda'n gadael. Dyna fo, doeddwn i ddim yn fi fy hun ar ôl profiada'r diwrnod cynt, ond mi lwyddodd Rhian i dawelu petha – diolch amdani – ac mi ddwedodd y ferch y basan ni'n cael mynd ar yr awyran nesa. Ond doedd honno ddim yn mynd am ddeuddag awr, ac yn y maes awyr y buon ni'r holl amsar. Mi gostiodd ffortiwn i ni. Welais i 'rioed le mor ddrud ac roedd y plant isio rhywbath bob munud.

Mi ffoniodd ymchwilydd y rhaglan *Mountain* tua dwsin o weithia tra oeddan ni yn y maes awyr, ond doedd dim y gallen ni ei neud. Ond mi orffennodd popeth yn iawn yn y diwadd – roeddan ni adra mewn pryd ar gyfar y ffilmio, wedi gwario'n pres i gyd a mwy, ond roedd y teulu i gyd yn saff a hynny oedd yn bwysig. Mi allsa hi wedi bod mor wahanol a dwi wedi cael sawl hunlla dros y blynyddoedd wrth feddwl am y peth.

Fi trwy lygaid Rolant

Dyn prysur, gweithgar, neis, da a chlên ydi Dad. Dydi o ddim yn ddyn blin ond mi fydda i weithia yn cael row pan dwi ddim wedi tacluso fy stafall wely. Mi dwi wrth fy modd pan fydd plant erill yn deud eu bod nhw wedi'i weld ar y teledu neu ei glywad ar y radio – dwi'n teimlo'n falch iawn ohono.

Pan fydd o'n mynd i ffwrdd mi fydda i'n teimlo'n drist iawn, yn enwedig pan fydd o i ffwrdd am ddyddia. Mi fydd yn canmol yr hyn dwi wedi'i neud pan ddaw o adra os ydi o wedi gadal gwaith i mi. Fel arfer fy ngwaith ar y ffarm ydi helpu Siôr a Dad, cario logs a chau'r ieir a'r gwydda. Siôr bia'r ieir a Dad bia'r gwydda. Roedd o wedi dychryn yn ofnadwy pan es i ar goll yn Disneyland Paris, ond ches i ddim row ganddo fo na Mam, roeddan nhw mor falch o ddod o hyd i mi! Dwi wrth fy modd ar y ffarm, ond dydw i ddim isio ffarmio pan fydda i'n fawr, yn wahanol i Siôr.

O edrych yn ôl, doedd helynt dannadd Siôr yn ddim o'i gymharu â'r profiada eraill, a gofid heb ei angan oedd helynt Disneyland Paris, ond mi fu ond y dim inni golli Mari Non bythefnos ar ôl iddi gael ei geni. Diolch byth, mae hi'n fyw ac yn iach ac yn seithmlwydd oed yn mynd yn un ar hugian erbyn hyn!

MARI NON

Doedd Rhian a fi ddim isio gwybod be oeddan ni'n mynd i'w gael, er y basa sgan wedi dangos hynny inni, ond mi ddwedais i mai hogan fydda hi. Mynegi gobaith, falla, gan fod gynnon ni ddau hogyn ac y bydda'n braf cael merch! Roedd bydwraig yn edrych ar ôl Rhian cyn yr enedigaeth, un oedd wedi cael oes o brofiad, ond tipyn o hen fwchan oedd honno, ac ar ôl yr enedigaeth doedd hi ddim gwell. Roedd hi'r un fath cyn geni Siôr, yn fwya annifyr am fod problam yr adeg honno hefyd gan ei fod yn *breech* a'r fydwraig yn ddim help o gwbwl.

Beth bynnag, diwrnod yn yr ysbyty i roi genedigaeth ac adra wedyn, dyna'r drefn erbyn geni Mari Non, ac roedd Rhian yn bronfwydo, fel efo'r ddau arall. Roedd gan Mari ddolur rhydd o'r dechra a'i phen-ôl yn ddolurus, a'r fydwraig yn deud mai bai Rhian oedd o gan mai ei deiet hi oedd y drwg, er ei bod yn sobor o ofalus be oedd hi'n ei fwyta.

Ond doedd Mari'n gwella dim ac ar ôl un diwrnod ar ddeg dyma Rhian yn rhoi ei bath cynta iddi ac mi ddisgynnodd ei bogail i ffwrdd ac roedd y drwg wedi cronni oddi tano. Y noson honno roedd ei phen-ôl hi mor ddrwg nes ei fod yn gwaedu. Mi aeth Rhian â hi i lawr at y doctor ac mi roddodd o eli i'w roi ar y briwia. Ond doedd hi ddim yn gwella, yn cau setlo a ninna'n meddwl mai gwynt neu gamdreuliad oedd ganddi. Mi aeth o ddrwg i waeth – mi gafodd wres mawr ac mi aeth Rhian â hi 'nôl at y doctor wedyn. Mi gymrodd hwnnw ei gwres ac ar ôl un edrychiad arni mi ddwedodd wrth Rhian am fynd â hi i Fangor ar unwaith ac y bydda fo'n ffonio i ddeud eu bod nhw ar eu ffordd. Mi ofynnodd Rhian am gael mynd adra i ddechra i nôl ei phetha, ond 'Na' medda'r doctor yn bendant – Bangor ar unwaith oedd y gorchymyn.

Pan gyrhaeddodd hi yno mi gymerwyd Mari oddi arni ac mi ffoniodd hi fi ar unwaith. Roedd hi'n amsar prysur ar y ffarm, amsar hel defaid a chneifio, ond mi ges i help cymdogion caredig a chael mynd i Fangor ar frys. Deng munud gymrodd hi i mi gyrraedd yno y diwrnod hwnnw.

Mi fynnes gael mynd i'r stafall lle roedd Mari ac roedd doctor yno'n ceisio stwffio nodwydd i gefn ei llaw er mwyn i hylif gwrthfiotig gael ei bwmpio i mewn i'w gwaed. Roedd Mari'n sgrechian a'r doctor yn plygu ei llaw. Fedra i ddim celu 'nheimlada, rhaid i mi gael deud be sy ar fy meddwl, ac mi ddwedais wrth y *staff nurse*, oedd yn Gymraes, nad oedd y doctor hwnnw'n cael cyffwrdd yn fy hogan fach i neu mi faswn i'n creu helynt. Fu dim rhaid i mi. Mi gafwyd nyrs, Cymraes ffeind, i roi'r nodwydd yn ei llaw, a hynny mewn dau le. Roedd ei chyflwr yn ddrwg, roedd ganddi septisemia ac mi alla fod wedi'i lladd hi. Cael a chael oedd hi. Ond diolch i'r drefn, mi'i daliwyd mewn pryd ac mi dreuliodd Rhian a hitha ddyddia lawer yn yr ysbyty,

35

mewn stafall o'r neilltu gan fod MRSA yn dew yn y lle bryd hynny.

Mi fuon nhw'n ddyddia pryderus dros ben i ni i gyd – diwrnod neu ddau arall ac mi fydda wedi bod yn rhy hwyr gan nad oes system imiwnedd gan fabi ac mae pob drwg yn mynd yn syth i'r gwaed.

A phan glywn ni am deuluoedd wedi colli babi mi fyddwn ni'n dychmygu sut maen nhw'n teimlo gan i ni ddod mor agos at golli ein babi bach ni.

Fi trwy lygaid Mari Non
Mae Dad yn gweithio'n galad ac yn gweiddi dipyn bach os 'dan ni'n blant drwg, yn cwffio a phetha felly. Withia dwi'n cael bai ar gam. Ac mae o'n dwyn fy siocled i. Pan fydd Mam wedi prynu pwdin Crunchie siocled i mi, mi fydd o'n mynd i'r ffrij a'i ddwyn o.

Withia mae plant erill yn deud bod Dad yn *weird* ac nad ydi o'n enwog. Hogia sy'n deud hynny yn yr ysgol, nid fy ffrindia i.

Dwi'n licio Dad, mae o'n tyff cwci. Unwaith mi nath o gael ei daro ar ei ben efo bwyell – damwain oedd hi, ond nath o ddim gweiddi o gwbwl.

Mae o'n glyfar iawn ac yn gry, mae o'n gallu cario wyth o logs efo'i gilydd, ac mae o'n ffast hefyd, yn gynt na fi pan fydd o'n rhedag. Weithia 'di o ddim yn gadal i fi fynd efo fo i rasys cŵn na gadal i mi weithio efo fo pan fydd hi'n beryg. Mae o'n dda efo cŵn defaid ac yn dysgu fy nghi bach i.

A dyna ddigon am y Jonsus – am y tro beth bynnag.

4

Y CARNEDDAU

YN GYSGOD DROS yr holl ffermydd a holl aelodau'r teulu a'r cwmni mae'r Carneddi, fel y byddwn ni'n galw'r ehangder anhygoel o fawr o fynydd-dir sy'n ymestyn o Fethesda a'r A5 yn y gorllewin a'r de at gyrion afon Conwy yn y dwyrain a bron at arfordir y gogledd.

Mae'r Carneddi yn rhyfeddol, yn batrwm o wyrdd a phorffor yn yr haf a'r hydref ac yn denu'r twristiaid i gerddad ar hyd y llwybrau a'r hen ffordd Rufeinig, i syllu mewn rhyfeddod ar y golygfeydd ac i fwynhau natur yn ei holl ogoniant.

Ond yn y gaeaf mae'n newid ei gymeriad yn llwyr, yn foel a gerwin, yn anghroesawus, ac ymdrech i ddyn ac anifail yw goroesi yn y fath le. Mae'n cynnwys ugian mil o aceri o wastadedd neu lwyfandir anial, waliau a chorlannau cerrig, nentydd ac afonydd, corstir a llynnoedd, a gall ymffrostio bod yna o'i fewn hefyd ddau o gopaon ucha Cymru – Carnedd Dafydd a Charnedd Llywelyn, a does ond yr Wyddfa yn uwch na nhw.

Mae i'r ffarm dwi'n byw ynddi, Ty'n Llwyfan, fel y gweddill o ffermydd yr ardal, dair rhan – y tir gwaelod, y ffriddoedd a'r mynydd, sy'n dir y Goron. Ac ar y mynydd mae'r merlod, a phwy na chlywodd am y rhain – merlod y Carneddi, brid bychan gwydn o ferlod a gyflwynwyd gynta, medda'r hanes, gan y Rhufeiniaid, a'u datblygu gan y Celtiaid cyn i'r llwythau hynny 'rioed gael eu galw'n Gymry. Maen nhw wedi goroesi pob bygythiad i'w bodolaeth, gan gynnwys gorchymyn Harri'r VIII i ddifa pob anifail dan ddeuddag llaw am eu bod yn rhy fach i fod yn geffylau rhyfel.

Mae cysylltiad ein teulu ni â'r merlod yn mynd yn ôl o leia dri chan mlynadd ac mi fydda fy hen daid yn gwerthu rhai ohonyn nhw i'r pyllau glo. Roeddan nhw'n ddelfrydol ar gyfar gwaith yn y twnelau glo am eu bod yn fychain ond yn gryf, gydag esgyrn cadarn.

Fyddan nhw ddim yn dod i lawr o'r mynydd, dim ond pan fyddwn ni'n eu casglu er mwyn eu trin a thorri eu cynffonnau. Hyd yn oed yn y gaeafau garwaf, ar y mynydd y mynnan nhw fod. Mae Dad yn cofio gaeaf mawr 1947 pan oedd o tua wyth oed, yn cofio mynd â gwair i fyny i'r merlod efo'r dynion, a'r merlod yn gwrthod ei fwyta am nad oeddan nhw'n arfer efo fo. Roedd yn well ganddyn nhw lwgu na'i fwyta ac roedd yn well ganddyn nhw rewi na dod i lawr o'r mynydd. Mi welodd Dad un ferlan a'i chyw wedi rhewi i farwolaeth y gaeaf hwnnw, ac yn dal i sefyll ar eu traed.

Dydi'r merlod ddim yn perthyn i'r cwmni, ond yn hytrach i Dad ac Yncyl Teg. 'O' ydi'r brand sy arnyn nhw ar ôl fy nhaid, Owen Jones, adawodd y merlod i'r ddau. Dydyn nhw ddim i gyd yn perthyn i aelodau o'n teulu ni, wrth gwrs; mae gan ffermydd eraill hawliau pori a hawliau merlod ar y mynydd, ac mae pob ffarm wedi brandio eu merlod yn wahanol. Diwrnod mawr ydi diwrnod rowndio'r merlod i ddod â nhw i lawr i gael eu trin. Mae degau ohonon ni wrthi, a'r beiciau modur yn rhuo fel tasa 'na fyddin yn ymosod. Yn wir, mi ddisgrifiodd un person, neb llai na Griff Rhys Jones, y profiad fel clywad tanciau Rommel yn ymosod yn ystod yr Ail Ryfel Byd.

Merlod gwyllt ydyn nhw, wrth gwrs, ac mae'n rhaid eu dofi cyn eu defnyddio. Mae Dad wedi dofi merlan ar gyfar pob un o 'mhlant i, fel y gwnaeth o ar fy nghyfar i a 'mrawd pan oeddan ni'n fach. Ond buan mae plant yn tyfu'n rhy fawr iddyn nhw.

Mae'r merlod wedi achosi tipyn o draffarth i'n teulu ni, wedi goroesi sawl argyfwng ac wedi dod ag incwm i'r ddau berchennog hefyd. Ar y dechra roedd yr arian yn dod oddi wrth y Parc Cenedlaethol a'r Comisiwn Cefn Gwlad, ond erbyn hyn gan Lywodraeth y Cynulliad drwy'r Cyngor Cefn Gwlad mae o'n dod, ac mae rheswm arbennig am hynny. Fel hyn y digwyddodd hi.

Flynyddoedd yn ôl roedd prisia'r merlod yn y farchnad yn sobor o isel, a dim byd bron i'w gael amdanyn nhw, ac mi aeth Dad â dwsin ohonyn nhw i sêl Bryncir a gorfod dod yn ôl efo deg ar ôl gwerthu dau am bris mor isel fasa waeth iddo fod wedi'u rhoi am ddim.

Yn ystod y cyfnod hwnnw mi ddaeth gohebydd papur newydd yma i holi am y merlod er mwyn ysgrifennu erthygl amdanyn nhw. Mi ddwedodd Dad wrtho y bydda'n rhaid i'r cwmni gael gwared â'r merlod os na fydda petha'n gwella. Eu gwerthu'n rhad oedd o'n feddwl, wrth gwrs, ond dyma'r gohebydd yn deud wrtho na alla fo byth gael eu gwared i gyd, bod y mynydd yn rhy fawr. 'Wel,' medda Dad fel jôc, 'os bydd merlod ar ôl, mi saetha i nhw.'

Yr wythnos wedyn roedd pennawd mawr yn y papur: 'All Carneddau ponies to be shot.'

Prin bod y papur ar werth yn y siopau nad oedd yna alwad ffôn mewn panig i Dad gan Rhys Owen, un o swyddogion y Parc Cenedlaethol, yn gofyn oedd y stori yn y papur yn wir.

'Fydda i byth yn deud celwydd,' medda Dad wrtho fo. 'Ond nid 'u saethu nhw ond eu gwerthu. Dwi wedi'u hentro nhw yn sêl Morgan Evans yr wythnos nesa.'

Roedd Rhys Owen wedi dychryn ac mi ofynnodd i 'nhad ddal ei afael arnyn nhw nes iddo fo gysylltu efo rhywun yng Nghaerdydd. Diwadd y stori oedd i Dad ac Yncyl Teg gael cynnig arian am edrych ar ôl y merlod a thuag at gosta eu rheoli, eu trin a'u c'weirio (sbaddu) a'u didoli, cyn gwerthu cyfran ohonyn nhw bob blwyddyn. Cyfrannwyd rhan o'r arian hefyd i dalu costa twrna wrth sefydlu Cymdeithas Merlod y Carneddau. Roedd un amod arall i'r arian, sef nad oedd meddyginiaeth rhag llyngyr i'w rhoi iddyn nhw.

Mi fyddech chi'n gofyn pam roedd y Parc a'r Comisiwn Cefn Gwlad ac, yn ddiweddarach, Llywodraeth y Cynulliad mor awyddus i ddiogelu'r merlod. Mae'r atab yn syml, sef y frân goesgoch, yr aderyn du efo coesau cochion, sef *chough* yn Saesneg, aderyn sy'n byw ar y Carneddi. Rhan bwysig o'u bwyd ydi'r llyngyr sy yn nhail y merlod. Dim llyngyr, a fydda'r brain coesgoch ddim ar y mynydd. Yn wir, erbyn hyn mae'r Comisiwn Cefn Gwlad a'r Parc yn prynu rhai o ferlod y Carneddi er mwyn eu gosod mewn cynefinoedd eraill mewn gwahanol rannau o'r wlad er mwyn meithrin a diogelu'r frân goesgoch.

Nid y llyngyr ydi'r unig beth pwysig ynglŷn â'r merlod cyn bellad ag y mae bodolaeth y frân goesgoch yn bod. Mae'r merlod yn pori'n wahanol i'r defaid, yn pori'n llawer nes i'r ddaear, a hynny'n ei gneud hi'n haws i'r brain coesgoch grafu yn y pridd am bryfetach.

Ond nid prisia isel y farchnad yn unig fu'n fygythiad i'r merlod, ond rheol y Farchnad Gyffredin y bydda marcio anifail efo nod clust yn anghyfreithlon am ei fod yn greulon ac y bydda'n rhaid rhoi sglodyn dan groen gwar pob merlen. Rheol ydi hon a wnaed gan fiwrocratiaid na wyddan nhw ddim am fywyd mewn lle fel y Carneddi, yn tybio yn anghywir fod nod clust yn greulon a heb fod yn ymwybodol o'r draffarth a'r gost y bydda gosod sglodyn ym mhob un yn ei olygu, rhywbath sy'n gwbwl anaddas i'r merlod ac yn gwbwl anaddas i'r mynydd hefyd.

Os ydi'r merlod yn dal ar y mynydd drwy'r gaeaf, dydi'r defaid ddim yno. Neu, yn hytrach, dydyn nhw ddim i fod yno ac mae'r awdurdodau'n cyflogi person ym mhob plwy lle mae yna fynydd agorad i fod yn setiwr, yn berson sy'n gofalu bod y mynydd yn glir ac yn setlo unrhyw anghydfod ynglŷn â hawliau, yn delio â'r defaid strae ac yn datrys unrhyw anghydfod rhwng ffermwyr.

Penodwyd Dad yn setiwr y plwy yma ac mae o felly yn gorfod mynd i fyny'r mynydd yn amal a hynny haf a gaeaf. Mae'n rhan o'r cytundeb rhwng yr awdurdodau a'r ffermwyr sy'n pori'r mynydd nad oes defaid yno rhwng diwedd Hydref a'r cynta o Ebrill a rhan o waith Dad yw sicrhau hynny.

A deud y gwir, mae'r trefniant yn gweithio'n dda. Rydan ni'n cael tâl am dynnu'r defaid o'r mynydd ac mae'r defaid, yn eu tro, yn ffynnu yn llawer gwell wrth dreulio chwe mis y gaeaf ar y tir isel. O ganlyniad bydd y defaid a'r ŵyn yn well, a'r gwlân a'r cig o ansawdd uwch. Erstalwm mi fydden ni'n anfon defaid i ffermydd eraill – defaid cadw – ond dydi hynny ddim yn digwydd erbyn hyn gan fod digon o dir gynnon ni yn rhan o'n heiddo neu wedi'i rentu. Y rheswm bod y Comisiwn Cefn Gwlad bellach isio'r defaid o'r mynydd yn y gaeaf ydi er mwyn diogelu'r borfa i'r merlod ac i roi amsar i'r tir orffwys. Tydi'r merlod ddim yn pori mor ddinistriol â defaid.

Nid darn bychan o dir ydi'r Carneddi ond ehangder o filoedd o aceri, darn sylweddol o Gymru, ac un o'r bobol oedd wedi gwirioni efo'r lle oedd Griff Rhys Jones. Mi ddaeth yma yn 2006 i ffilmio ar gyfar ei gyfres o raglenni *Mountain*. Mi ddaeth er mwyn cael bod yn dyst i'r helfa ferlod ac mi gafodd ei syfrdanu, i ddechra gan y criw mawr ohonon ni oedd yn paratoi ar gyfar y casglu, o'n cwmni ni ac o ffermydd eraill a chanddyn nhw ferlod ar y Carneddi. Un peth a'i synnodd oedd fod pawb ohonon ni'n siarad Cymraeg ac yn cael hwyl a thynnu coes. Mor anwybodus y gall rhywun fod hyd yn oed o'r wlad y ganwyd o ynddi! Un o'r gwersi cynta ddysgodd o oedd sut i ynganu ei enw ei hun, Rhys, gan mai 'Reece' y galwai ei hun, a doedd hynny ddim yn gneud y tro ymhlith y criw.

Mi wnaeth y beiciau argraff arno hefyd, ac ar fy meic i y teithiodd o i fyny'r mynydd gan ddal ei afael fel gelan a chwyno bod ei ben-ôl yn cael ei fownsio'n ddidrugaredd. Fel hyn mae o'n disgrifio dechra'r daith:

> Sixteen or so red-faced farmers, their sons, their uncles and their cousins, in a variety of woolly hats and mounted on a fearsome armada of fat-tyred, mud-spattered quad bikes began revving their two-stroke engines in chorus. It was the Wild Welsh Bunch. The noise was incredible. The bikes were battered and grungy.

> (Griff Rhys Jones, *Mountain*)

Ar hyd y ffordd i fyny ac ar ôl cyrraedd y tu draw i wal y mynydd roeddwn i'n ceisio esbonio iddo be oedd yn digwydd – tipyn o gamp yn sŵn y beicia, a'r awel yn cipio'r geiriau wrth iddyn nhw ddod o 'ngheg i. Ond, er gwaetha anghysur y reid, roedd o wrth ei fodd ac mi gafodd ddiwrnod i'w gofio, diwrnod pan gafodd gyfle i ddeall tipyn o'r hyn sy'n digwydd mewn helfa o'r fath a pham ei bod yn digwydd o gwbwl. Roedd o wedi'i syfrdanu hefyd gan y golygfeydd a hynny ar ddiwrnod braf o haf. Cafodd brofiad arbennig – ond welodd o mo'r ucheldir yn dangos ei ddannadd! Mae o'n lle hollol wahanol bryd hynny, a rhaid i ni ddygymod â'r mynydd waeth sut dymer sy arno.

Dwi'n cofio'r adeg pan oedd y defaid ar y mynydd drwy'r gaeaf a chofio'r ymdrech i edrych ar eu hola nhw mewn tywydd mawr. Bryd hynny roedd bod ar y mynydd yn addysg i mi. Dwi'n cofio gaeaf 1987 a chriw ohonon ni'n gorfod mynd i fyny yn yr eira. Roeddwn i a Keith, oedd yn gweithio efo Yncyl Teg ac oedd fel brawd mawr i mi, yn ein hugeiniau cynnar ac yn meddwl ein bod yn dipyn o fois. Efo ni roedd Wil Tyddyn Angharad, dyn oedd yn ei chwedega ac yn hoff iawn o'i wisgi, ond un oedd wedi bod efo'r *special forces* yn ystod y rhyfel ac yn rhyfeddol o ffit.

Mi aeth criw ohonon ni yn y cerbydau cyn belled â chongol wal y mynydd a methu mynd ddim pellach. Roedd yn rhaid cerddad.

'Tyrd,' medda Keith, 'mi awn ni yn ein blaena a gadal yr hen bobol i ddod tu ôl i ni.'

Felly i ffwrdd â ni trwy'r eira a'r cŵn efo ni, ond cyn pen dim roeddan ni'n stryglo ac wedi ymlâdd. Pwy ddaeth heibio ac oglau wisgi mawr ar ei wynt ond Wil, a'i bum ci efo fo, cŵn oedd fel bleiddiaid, ac erbyn i ni gyrraedd blaen y ddalfa ar y top roedd o eisoes wedi dechra hel y defaid. Doedd dim rhaid iddo ddeud dim – roedd o wedi dysgu gwers i ni hogia ifanc, yn meddwl ein bod yn gwybod ac yn gallu gneud y cwbwl!

Mae popeth ynglŷn â'r Carneddi yn gweithio'n dda i ni erbyn hyn, ond nid felly yr oedd hi bob amsar. Mi fu matar cynefin yn fatar cymhleth, yn arbennig y rhanna o'r mynydd sy'n perthyn o ran hawl pori i ddiadelloedd ffermydd arbennig. Pan fydda defaid ar y mynydd fwy neu lai drwy'r flwyddyn ac yn geni eu hŵyn yno roeddan nhw'n nabod eu cynefin ac yn cadw'n weddol agos iddo, ond roedd un peth yn milwrio yn erbyn hynny sef y tywydd ac mi achosodd hynny broblam, problam olygodd lys barn i Dad a dau o'i frodyr.

Doedd porwyr y rhan o'r mynydd uwchben Abergwyngregyn (Aber i bawb yn lleol) ddim yn derbyn bod gan ein cwmni ni hawliau pori yno ac eto, ar dywydd gwyntog, pan fydda'r gwynt yn chwythu o gyfeiriad arbennig, mi fydda ein defaid ni, gryn bum cant ohonyn nhw, yn crwydro i'r mynydd uwchben Aber lle roedd hi'n fwy cysgodol a lle roedd ganddyn nhw berffaith hawl i fynd.

Ond nid felly y gwelai porwyr Aber betha a bu'n rhaid i Dad a'i frodyr fynd i lys sifil yng Nghaernarfon i ddadlau hawliau cynefin cwmni Owen Jones ar y mynydd. Roedd hi wedi datblygu yn hen sefyllfa annifyr i fynd yn fatar o lys barn ond ein cwmni ni enillodd, ac mi brofwyd bod defaid Aber hefyd yn crwydro i'n cynefin ni pan fydda'r gwynt yn chwythu o'r cyfeiriad arall. Diolch i'r drefn, mae'r cyfan y tu ôl inni erbyn hyn a'r hanes hwnnw'n hen hanes. Rydan ni'n un gymdeithas o borwyr ers blynyddoedd ac yn cyddynnu'n dda. Tudur fy nghefndar ydi'r llywydd, cyfyrder i mi, Liam Jones, ydi'r ysgrifennydd a fi ydi'r trysorydd.

Ydi, mae'r broblam honno wedi'i hen setlo erbyn hyn, ond mae ail broblam wedi codi sef y ffaith nad ydi'r defaid bellach ar y mynydd drwy'r flwyddyn. Does dim hawl iddyn nhw fod yno rhwng misoedd Hydref ac Ebrill ac felly maen nhw'n fwy ansicr o'u cynefin, a phan fyddan nhw'n mynd i fyny yn eu hola ddechra Ebrill dydi o ddim yn ddigon i'w gadael nhw unwaith maen nhw yr ochor iawn i wal y mynydd, rhaid mynd â nhw i'r fan lle maen nhw i fod. Mae'n rhaid 'codi cynefin', ac o neud hynny mae yna obaith y byddan nhw'n cadw'n weddol agos o fewn eu libart!

Ar ein hochor ni, dim ond stormydd byd natur sy'n gynnwrf ar y mynydd bellach, ac o safbwynt y ffermwyr sydd â hawliau pori yno mae yna, yng ngeiria Ieuan Wyn, 'hedd ar y Carneddau'.

5

O FLAEN FY NGWELL

DEFAID A'U CYNEFIN oedd y rheswm i Dad orfod ymddangos mewn llys barn, a llys sifil oedd hwnnw. Gwarthaig oedd y rheswm i mi gael fy hun mewn llys, ac roedd hwnnw'n Llys y Goron – *one-upmanship* y gallwn yn hawdd fod wedi gneud hebddo!

Pwy fydda wedi meddwl y galla gwerthu dau fustach ym marchnad Gaerwen, Ynys Môn, trwy gwmni arwerthwyr Morgan Evans achosi cymaint o helynt i mi, helynt ddaru bara am dros ddwy flynadd, a helynt yr oedd iddo fo ychwanegiad diddorol, a deud y lleia, mor ddiweddar â 2009!

Dyddiad gwerthu'r bustach cynta oedd 13 Awst 2004 – mae'r manylion o 'mlaen i'r funud hon. Fe'i gwerthwyd i S L Morgan. Yna, ar 8 Hydref yr un flwyddyn mi werthwyd y bustach arall i Monk Bros, un o gwmnïau prynu anifeiliaid mwya gogledd Cymru.

Fi oedd wedi gneud yr holl waith papur, ac fel y gŵyr pob ffarmwr mae llawer ohono i'w neud ers blynyddoedd bellach. Rhaid i bob anifail gael pasport a rhaid dilyn canllawia, dyddiada ac oedran anifeiliaid yn fanwl. Mae llawer o hyn yn deillio o helynt y gwarthaig gwallgo. Bustych dyflwydd oed oeddan nhw, yn cael eu gwerthu fel gwarthaig stôr i'w pesgi am rai wythnosau cyn eu lladd.

Dwi 'rioed wedi cael traffarth, ac unwaith mae'r gwaith

wedi'i neud a'r anifeiliaid wedi'u gwerthu, dyna ddiwadd ar y matar.

Ond nid y tro yma. Ganol Tachwedd mi dderbyniais gopi o lythyr anfonwyd at y Brodyr Monk gan Zoe Lewis, Swyddog Iechyd Anifeiliaid o Adran Safonau Masnach Cyngor Bwrdeistref Merthyr Tudful, wedi'i ddyddio 11 Tachwedd 2004, llythyr roddodd andros o sioc i mi. Dyma gyfieithiad o'i gynnwys:

Parthed: Deddf Disgrifiadau Masnach

Rheoliadau Adnabod Anifeiliaid 1989

Ddydd Sul Hydref 31ain 2004 bu i chi gyflenwi anifail (ei rif) i St Merryn Meat Ltd, Merthyr Tudful. Mae archwiliad post mortem wedi dadlennu bod gan yr anifail chwe dant.

Rwyf yn eich hysbysu bod ymchwiliadau pellach yn cael eu gwneud ac y gall fod yna droseddau dan y ddeddfwriaeth uchod wedi'u cyflawni.

Byddaf mewn cysylltiad pellach ynglŷn â'r mater uchod.

Bydd y cyfarwydd yn gweld ar unwaith beth oedd y broblam. Roedd y bustach wedi'i werthu ym marchnad Gaerwen yn fustach dyflwydd oed, ac mi awn ar fy llw mai dyna oedd o. Faswn i byth yn anonast nac yn chwara efo oedran anifeiliaid. Ond pan laddwyd yr anifail gwelwyd bod ganddo chwe dant, oedd yn ei neud yn fustach dyflwydd a hannar os nad teirblwydd oed.

Bu'n rhaid cael gwared ar yr anifail am ei fod yn rhy hen i fynd i'r gadwyn fwyd, a chyn diwadd y flwyddyn cefais fil gan gwmni Morgan Evans am y pris a gefais am y bustach ac am £117 yn ychwanegol, sef y tâl am gael gwared arno. Fe'i talais ddechra Ionawr 2005. Ond roedd gwaeth i ddod.

Cefais alwad ffôn gan Zoe Lewis, hen gnawas awdurdodol, yn deud ei bod isio dod draw gan fod yna bosibilrwydd fod twyll wedi'i gyflawni naill ai gan Monk Bros neu gen i. Mi drefnwyd iddi ddod ac, ar ôl iddi gyflwyno'i hun, y peth cynta wnaeth hi oedd rhoi rhybudd ffurfiol i mi fod popeth rhyngon ni'n cael ei recordio ac y gallai'r hyn ddwedwn i gael ei ddefnyddio fel tystiolaeth yn fy erbyn mewn llys barn.

Dyma fi'n atab fod popeth yn iawn. Mi ddwedais wrthi 'mod i'n meddwl bod y gwarthaig yr oedran cywir ac nad oeddwn i wedi gneud dim byd o'i le, nad oeddwn i 'rioed wedi bod mewn traffarth a 'mod i wastad yn trio bod mor onast ag y gallwn i. Falla mai dyna'r camgymeriad wnes i. Mi fasa'n well taswn i heb ddeud dim wrthi, dim ond atab ei chwestiyna. Mi ddwedodd y bydda hi'n cyfweld G R ac S J Monk hefyd a bod yna dystiolaeth fod yr anifail yn ddyflwydd a hannar.

Roeddwn i'n dechra ama a oedd o'r un bustach â'r un a werthwyd, ond mi ddwedodd hi y gallen ni roi prawf gwaed ar y fam.

Yn dilyn ei hymweliad, cyn diwadd Chwefror daeth llythyr ganddi yn adrodd eu bod yn ymchwilio i ddau anifail fagwyd ar y ffarm – ie, dau erbyn hyn, sef yr un a werthwyd i Monk Bros a'r un a werthwyd i S L Morgan. Nododd yn y llythyr fod gan y ddau chwe dant a bod yna amheuaeth eu bod dros ddyflwydd a hannar. Gofynnodd i mi gysylltu â hi er mwyn iddi drefnu i rywun ddod draw i'r ffarm i roi prawf gwaed ar famau'r ddau fustach. Mi wnaed hyn, ond doedd y canlyniad yn profi dim y naill ffordd na'r llall.

Yna, ymhen hir a hwyr mi ddechreuodd y llythyrau diddiwadd ddod, gan gynnwys llythyr yn deud y byddwn i'n gorfod mynd i'r llys i wynebu cyhuddiad o dwyll, a mynd fel unigolyn, nid mynd fel ysgrifennydd y cwmni. 'Trading standards v yourself' oedd ar dop pob llythyr. Mi ddwedon nhw fod cyngor arbenigwyr wedi deud bod chwe dant gan yr anifeiliaid a'u bod yn llawer hŷn nag a nodwyd gen i, rhwng dyflwydd a hannar a theirblwydd oed.

Roedd y matar yn fatar o gyfraith erbyn hyn, a'n cyfreithwyr ni oedd J W Hughes a'i Feibion, Conwy. Cafwyd cadarnhad y byddwn yn derbyn cymorth cyfreithiol ac na fydda unrhyw gost arnaf wrth amddiffyn fy hun yn y llys ynadon. Cefais wybod bod S L Morgan a'r Brodyr Monk hefyd yn ddiffynyddion yn yr achos. Gohiriwyd achos S L Morgan oherwydd afiechyd, ond nid y cyhuddiadau yn fy erbyn i imi werthu anifail o oedran anghywir iddo.

Gan fod Merthyr Tudful yn bum awr o siwrna oddi yma cytunwyd na fydda'n rhaid i mi ymddangos yn y llys ac y bydda cyswllt fideo yn cael ei drefnu o'r llys yn Llandudno, ac felly y bu, a hynny ar 23 Tachwedd 2005 – dros flwyddyn er pan werthwyd yr anifeiliaid! Ond gwrthododd yr ynadon – tri ohonyn nhw – ymdrin â'r matar gan eu bod yn gweld yr achos yn un difrifol ac mi drosglwyddwyd o'n syth i Lys y Goron.

Os oedd o'n fatar difrifol cynt, roedd o'n fatar mwy difrifol byth erbyn hyn. Nid cyfreithiwr fydda ei angan bellach ond bargyfreithiwr, ac mae ffioedd y rheini yn gallu bod dros bedwar can punt yr awr. Dim ond ar gyfar y llys ynadon roedd y cymorth cyfreithiol ar gael. Ond mae Dad a fi'n lwcus. Rydan ni'n rhentu Plas Newydd, ffarm y Marquis, a'i asiant tir o ydi Trefor Lloyd, ac mae Trefor Lloyd yn fargyfreithiwr yng Nghaer. Mi ddwedodd o fod ganddo'r union ddyn i ni, sef Simon Rogers, mab Peter Rogers fu'n ymgeisydd am sedd yn y Cynulliad dros Ynys Môn.

Mi drefnwyd i mi fynd i Gaer i'w gyfarfod, a phan drois i i mewn i'r maes parcio dwi ddim yn meddwl i mi weld car oedd yn werth llai na hannar can mil! Roedd yr adeilad hefyd yn un crand ryfeddol. Beth bynnag am hynny, dyma gyfarfod Trefor Lloyd a chael fy nghyflwyno i Simon Rogers. Mi ddwedais beth oedd fy safbwynt i, mai fi oedd yn gneud yr holl waith papur i'r busnes a 'mod i o'r farn i mi neud popeth yn ôl y rheolau a bod yr anifeiliaid dan ddeng mis ar hugian. Erbyn heddiw fydda fo'n gneud dim gwahaniaeth, ond ar y pryd roedd gwerthu anifail i'w

Fi tua 16 mis oed

Efo Tamzin yn blacledio

Oes 'na olwg ddireidus arna i? Clive, fi a Huw Bach, fy mrawd

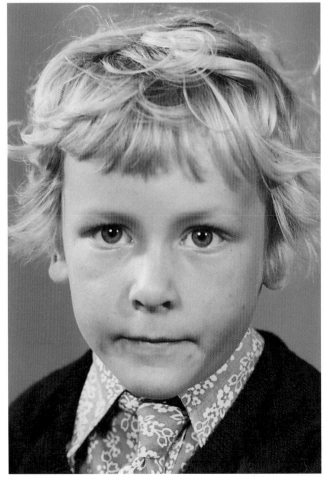

Barod i fynd i'r ysgol yn fy nhei blodeuog

Fi a Huw Bach

Pync rocars Carnifal Llanfairfechan:
Aled Lewis, Huw, Rich fy nghefndar a fi

Fi, tua 11 oed, efo Rich fy nghefndar

Fi yn 11 oed

Ar drip i Iwerddon efo fy mêts

Ar ôl ennill fy nghwpan cyntaf efo Sbot yn Rasys Cŵn Aber a Llanfairfechan

Efo Robat fy nghefndar

Yn Rasys Cŵn Llanfairfechan: Julie ac Audrey Lovell-Smith, Berwyn, Heulwen, Huw Bach, Richard a fi

Fi, Huw a Keith

Glynllifon. Rhes gefn o'r chwith: Ems, fi, John Bach, Glyn. Rhes flaen: Edward Tremogoch, Robin Trebedda, Paul Bach, Gethin

Efo'r merlod ar y buarth: Yncyl Wil, Dad, fi a Ieuan fy nghefndar (1986)

Efo pa un o'r rhain wnes i syrthio mewn cariad?
Caroline, 10 oed; Catherine, 8 oed; Rhian, 6 oed (1975)

Yn canlyn Rhian ers wythnos

Corfu – Rhian a finnau (1987)

'Fancy man'
Mrs Robinson!

Trin tyrcwns Dolig efo Dad

Prinder barbwrs yn Llanfairfechan!

'I'm too sexy for this farm!'

Rhian (1987)

Rhian efo'i mam pan oeddan
nhw'n byw ym Mangor Ucha

Hel merlod efo Dad (1988)

Ar lethr Dinas efo fy nghi,
Beti (1990)

Mae'r gwallt yn hir a rhaid
ei glymu'n ôl i gneifio
(1992)

Efo Rhian wrth raeadr
Abergwyngregyn (1990)

Ydi Steve yn dal o dan y bonet, tybed?

'Pws, pws!'

Yn Zante ar gefn beic

Dal pysgod yn Miami

Hogia del! Mark a finnau yn Miami. Mark wedi dod o hyd i lyffant bach, bach efo llygaid coch!

Hogyn caib a rhaw!

Ar wyliau yn Kos

Awstralia (1996)

Port Douglas,
Awstralia (1996)

Priodi (1999)

Ein dawns briodasol gyntaf. 'You're the one that I want – ooh, ooh, ooh, honey!'

Pesda Roc. O'r chwith: Steven, Catherine, Gary, Caroline, Rhian a fi

O'r chwith: Mam a Dad, Anti Sandra ac Yncyl Teg, Anti Iris ac Yncyl Wil, Anti Ann ac Yncyl Huw, Anti Rhianwen ac Yncyl Bobi

ladd oedd dros ddeng mis ar hugian yn drosedd, a dyna'r cyhuddiad yn fy erbyn.

Mi gytunwyd y bydda Simon Rogers yn fargyfreithiwr i mi ac yn dilyn hyn bu llawer o lythyru. Gan fod yr achos bellach yn Llys y Goron roedd yn rhaid i'r cyfreithwyr roi amcangyfrif i mi o gost debygol ymladd yr achos yn y llys hwnnw. Mewn llythyr a anfonwyd ataf ar 25 Tachwedd 2005 nodwyd mai amcangyfrif y gost pe bawn yn pledio'n euog fydda rhwng £450 a £550, ond pe bawn i'n pledio'n ddieuog y gallai'r gost fod yn £2,000 o leia, a hynny'n dibynnu ar ba mor hir fydda'r achos yn para.

Cafwyd gwybod y bydda'r gwrandawiad cynta yn Llys y Goron Merthyr ar 16 Rhagfyr 2005, a gofynnwyd i mi am yr holl ddogfennau priodol ar gyfar y bargyfreithiwr a hefyd ganlyniad prawf DNA ar y gwarthaig. Mi gafwyd hynny ond doedd y gwaed ddim yn matsio'r anifeiliaid a laddwyd ac roedd hynny'n ymddangos yn beth od iawn i mi. Ond roedd o'n golygu na ellid defnyddio'r canlyniad yn rhan o'r dystiolaeth wrth fy amddiffyn.

Mi ddwedodd y bargyfreithiwr ei fod angan rhai i dystiolaethu i 'nghymeriad i ac mi gefais amryw o'r dre i neud hynny, chwara teg iddyn nhw. Roeddwn i'n teimlo'n well ar ôl eu derbyn gan fod y cyfnod yn un andros o anodd i mi, ac ar fy ôl i roedd y gyfraith, nid ar ôl y cwmni. I neud petha'n waeth, roedd y bargyfreithiwr wedi deud bod carchar yn bosibilrwydd os ceid fi'n euog.

Mi geisiwyd cael caniatâd i mi ymddangos yn y llys yn Llandudno a defnyddio'r cyswllt fideo fel o'r blaen, ond cefais wybod nad oedd adnoddau felly gan Lys y Goron Merthyr. Cefais wybod hefyd na fydda Simon Rogers yn gallu bod yn y llys efo fi am fod ganddo achos arall yn ystod yr un cyfnod ac mi drefnwyd bod Partneriaeth Jenkins Newman, Merthyr yn gweithredu ar fy rhan ac yn trefnu efo bargyfreithiwr o'r ardal honno. Josie Fletcher oedd y ferch o'r bartneriaeth oedd yn cysylltu efo fi, merch ddymunol dros ben, ac mi drefnodd fod bargyfreithiwr o'r enw Owen Preece-Lewis, a hwnnw'n Gymro, yn fy nghynrychioli.

Ar y diwrnod pan fwriadwn deithio i lawr i Ferthyr ar gyfar yr achos dyma dderbyn galwad ffôn a llythyr yn deud bod yr achos wedi'i ailrestru ar gyfar dydd Iau 22 Rhagfyr – dridiau cyn y Nadolig – ac y bydda'n rhaid i mi fod yno ddim hwyrach na hannar awr wedi naw i gyfarfod â'r bargyfreithiwr a chynrychiolydd o Bartneriaeth Jenkins Newman.

Ar y dydd Merchar, felly, dyma ddreifio i lawr i Ferthyr, a chan ei bod yn gyfnod y Nadolig roedd y ffyrdd yn dawel ac roeddwn i'n teimlo'n eitha unig, ac yn meddwl am y teulu adra a'r plant yn edrych ymlaen at agor eu hanrhegion. Roeddwn i'n aros yn y Castle Hotel ym Merthyr ac mi geisiais ymlacio yno ar ôl cyrraedd. Ond roedd parti Nadolig yn y lle ac andros o sŵn felly mi benderfynais fynd i rywla arall i chwilio am fwyd.

Mi sylweddolais wrth gerddad y strydoedd lle mor drist oedd Merthyr, efo arwyddion o dlodi uffernol ym mhobman, ond mi ddois ar draws tafarn Wetherspoon a chael bwyd yn y fan honno, cyn mynd am dro ymhellach rownd y dre. A minna dipyn bach ar goll ac mewn stryd gefn, gwelais dafarn fach ar y gornal. Dyma benderfynu mynd i mewn am beint a phan gerddais i drwy'r drws dyma'r lle'n distewi. Mi allach chi glywad pin yn disgyn ac roedd pawb yn edrych arna i fel taswn i wedi disgyn o'r lleuad. Mi allwn i fod wedi troi ar fy sawdl a'i gwadnu hi odd'no, neu fynd at y bar ac ordro peint. A deud y gwir roedd arna i dipyn bach o ofn. Ond at y bar yr es i a buan y sylweddolais 'mod i yn y dafarn fu ar y teledu ar raglan Sky oedd yn sôn am *the world's hardest pubs*!

Roedd wynab y boi oedd yn fy syrfio'n greithia i gyd ac roedd memorabilia o fyd bocsio hyd y lle ym mhobman.

Hard cases oedd y cwsmeriaid, yn gyn-focswyr neu â chysylltiad â'r byd hwnnw.

'You're not from round here,' medda'r boi y tu ôl i'r bar wrtha i.

'Na,' medda finna. Wedyn mi holodd fi pam roeddwn i yno, ac mi benderfynais ddeud y gwir rhag ofn iddo fo synhwyro 'mod i'n deud celwydd. Pan ddwedais i 'mod i yno er mwyn ymddangos yn y llys dwi'n meddwl i mi neud lles i mi fy hun a bod gan bawb oedd yno fwy o feddwl ohono i a llai o amheuon amdana i. Ond wnes i ddim deud pam 'mod i yno chwaith, dim ond gadael iddyn nhw feddwl y gwaetha.

Roedd y boi yn gwybod pwy oedd y barnwr – a deud y gwir, dwi'n meddwl ei fod o a'i gwsmeriaid yn gwybod popeth am lysoedd barn Merthyr! 'He's a tough one,' medda fo wrtha i – rhywbath ddaru godi 'nghalon i'n fawr!

Dyma fynd yn ôl i'r Castle ac i'r gwely. Roedd y parti yn ei anterth a sŵn mawr drwy'r lle i gyd, ond nid ar y sŵn roedd y bai na chysgais i winc y noson honno. Roeddwn i'n swp sâl yn meddwl am y bora wedyn a be oedd yn mynd i ddigwydd i mi.

Roedd Simon Rogers wedi fy nghynghori i bledio'n euog. Pledio'n euog a finna'n gwybod 'mod i'n ddieuog! Roedd y cyfan yn chwara ar fy meddwl i pan gyrhaeddais i'r llys y bora wedyn a chyfarfod â'r bargyfreithiwr. Roedd o wedi cael y dogfennau, gan gynnwys fy natganiad i.

Dyma fo'n deud wrtha i y galla'r achos, os oeddwn i'n pledio'n ddieuog, gostio dros ddeng mil ar hugian o bunnoedd i mi. Yn wir, medda fo, tasa'r achos yn llusgo ymlaen mi alla fod gymaint â chan mil. Mi ddwedodd ei fod wedi darllen yr holl ddogfennau ac nad oedd gen i droed i sefyll arni, bod y dystiolaeth i gyd yn pwyntio bys ata i, er y gwyddai mor bendant oeddwn i 'mod i'n ddieuog.

'Taswn i'n ti,' medda fo, neu eiria tebyg, 'mi faswn i'n pledio'n euog.'

Ie, yr un cyngor ag a roddodd Simon Rogers i mi.

Mi es allan yn teimlo'n swp sâl, yn teimlo ar 'y mhen fy hun yn hollol ac yn gweld mwy o isio'r teulu nag erioed. Isio rhywun i ddeud wrthyn nhw, isio rhywun i ddeud wrtha i 'mod i'n gneud y peth iawn. Mi ffoniais Dad a deud wrtho be oeddwn i'n fwriadu ei neud, 'mod i'n cael fy nghynghori i bledio'n euog.

'Gna di fel ti'n teimlo,' medda fo. 'Mi fyddwn ni i gyd efo ti beth bynnag ydi dy benderfyniad, a beth bynnag fydd y gost mi dalith y cwmni y cyfan.'

Nid yr arian oedd y peth ond y syniad o gael achos maith fydda'n llusgo fy enw drwy'r baw a finna yn bendant 'mod i'n ddieuog.

Beth bynnag, i mewn i'r llys â ni a phawb yno'n disgwyl achos hir, achos fydda'n cael ei ohirio dros y Nadolig ac yn ailgychwyn tua chanol Ionawr. Mi ofynnodd y twrna i mi sut oeddwn i'n pledio.

'Euog,' medda fi, ac mi aeth y lle'n ddistaw, a finna'n teimlo rhyw ryddhad mawr bod y cyfan drosodd cyn iddo ddechra mewn gwirionedd.

Mi sylwais ar Zoe Lewis, dynas y Trading Standards, ac roedd gwên fawr ar ei hwynab. Yna mi sylwais ar Jeff Monk, ac roedd gwên ar ei wynab ynta hefyd. Roeddwn i'n teimlo fel ei dagu o, hen gocyn bach annifyr! Ond yr hyn wnes i oedd gwenu a rhoi winc arno fo, ac roeddwn i'n teimlo'n well o neud hynny achos doedd o ddim yn gwybod sut i gymryd y peth.

Dyma'r barnwr yn deud y bydda'n rhaid iddo fo ystyried y ddedfryd ac y bydda'n rhaid i mi ailymddangos yn y llys i gael clywad y ddedfryd honno.

Misoedd o aros, felly, ond ymhen hir a hwyr ac yn dilyn llawer o lythyrau cyfreithiol pellach dyma gael gwybod y bydda'r ddedfryd arna i'n cael ei rhoi gan y barnwr yn y llys ym Merthyr ar 22 Mai 2006, bron i bum mis ers y gwrandawiad pan blediais i'n euog.

Mi es i lawr y diwrnod cynt fel o'r blaen ac aros yn yr un lle a chysgu fel mochyn y noson honno.

Pan gyrhaeddais i'r llys dyma ddau warchodwr yn mynd â fi i'r bocs, bocs efo gwydr cryf o'i gwmpas, a'm gosod i sefyll yn y fan honno fel taswn i'n llofrudd! Roedd o'r teimlad mwya uffernol ac roeddwn i'n gallu dychmygu sut y baswn i'n teimlo taswn i wedi lladd rhywun.

Dyma'r barnwr yn dechra trwy ddeud ei fod o wedi darllen yr holl ddogfennau a 'mod i, mae'n amlwg, yn ddyn parchus yn y gymuned ac yn dda i fy nghymdeithas, a'i fod o'n fy nedfrydu gyda gofid. Mi ddwedodd ei fod yn rhoi'r gosb ysgafna alla fo i mi. Roedd yna bedwar cyhuddiad yn fy erbyn, dau o werthu'r anifeiliaid a dau o gyflwyno pasport twyllodrus. Ffein o £50 yr un gefais i, cyfanswm o £200 am y pedwar cyhuddiad. Ond roedd costau'r llys bron yn bedair mil! Doeddwn i ddim yn hapus 'mod i wedi pledio'n euog, ond roeddwn i'n teimlo y gallwn i gerddad oddi yno â 'mhen yn uchal.

Ond tydi'r stori ddim yn gorffan yn y fan yna. Doedd Monk Bros ddim yn hapus fod y ddedfryd yn un mor fach, er 'mod i wedi pledio'n euog. Mi dderbyniodd J W Hughes, fy nghyfreithwyr yng Nghonwy, lythyr gan gyfreithwyr Monk Bros, sef Messrs Walker Smith Way o Gaer, yn nodi eu bod yn ystyried bod gan eu cleient nhw hawl i iawndal gen i am *aggravated damages*. Mi wrthwynebwyd y cais hwn yn chwyrn, ond yn y diwadd penderfynwyd y byddwn i'n talu £500 'heb ragfarn' er mwyn rhoi stop ar yr holl beth, ac mi dderbyniwyd hynny.

A dyna'r achos ar ben, diolch am hynny.

Wel, nage. Mae yna dro yn y gynffon!

Yn Adran Ffarmio y *Daily Post* ar 18 Mehefin 2009 roedd

yna adroddiad yn deud bod un o brif werthwyr gwarthaig a defaid gogledd Cymru yn wynebu achos llys ym Merthyr Tudful ar gyhuddiadau yn ymwneud â thagio anifeiliaid. Adran Safonau Masnach Cyngor Bwrdeistref Merthyr oedd yn dwyn yr achos mewn cysylltiad ag anifeiliaid oedd wedi cael eu gwerthu gan Monk Bros i ladd-dy St Merryn Meat. Ydi'r enwau'n canu cloch – Cyngor Merthyr, St Merryn Meats a Monk Bros? Mi ddylen nhw!

Doedd yr anifail werthais i ddim yn rhan o'r cyhuddiadau tagio – roedd hynny wedi digwydd dair blynadd cyn yr achos diweddara 'ma. Ond mae o'n gneud i chi feddwl, yn tydi? Roedd o'n gneud i mi feddwl beth bynnag.

Ac mae yna nodyn arall i roi pen ar y mwdwl. Yn Adran Ffarmio y *Daily Post* ar 7 Gorffennaf 2009 roedd yna adroddiad fod cwmni Monk Bros, un o gwmnïau prynu anifeiliaid mwya'r gogledd, wedi mynd yn fethdalwr. Mi fuo'n rhaid i'r cwmni dalu £750 o ffein pan gafwyd o'n euog o droseddau tagio, a miloedd lawer o ffioedd cyfreithiol, ond hyd yn oed wedyn roedd swm ei ddyled i naw o gwmnïau arwerthwyr, yn ôl y *Daily Post*, yn sioc, yn rhywla o gwmpas miliwn a hannar o bunnoedd. Mae'r papur yn nodi tri rheswm am ei drafferthion, fel hyn:

> It is understood three factors played a role in the firm's collapse: a recent court case, a disputed invoice with St Merryn Meat abbatoir, Llanybydder, and the legacy of last year's bluetongue restrictions.

Achos trist i fasnach anifeiliaid yng ngogledd Cymru, ond yr hyn ddaeth i fy meddwl i wrth ddarllen yr hanes oedd geiria Nain: 'Mae bywyd yn mynd rownd mewn cylchoedd, a phob cylch yn dod yn gyfan yn y diwedd.' Ydi mae o, ac mae cywion, yn amlach na pheidio, yn dod adra i glwydo!

6

ARGYFYNGAU

MAE PAWB YN cael ei siâr o argyfyngau, ond diolch i'r drefn tydi pob un ddim yn arwain at lys barn nac at farwolaeth. Mae yna argyfyngau sy'n ymddangos yn rhai difrifol iawn ar y pryd, ond yn rhai y gallwch chi chwerthin wrth gofio amdanyn nhw wedyn. Mae yna rai eraill sy'n codi cwestiyna ac mae yna rai sy'n ganlyniad i'ch gweithredoedd chi eich hun. Dwi wedi cael yr amrywiaeth hwn i gyd yn ystod fy mywyd hyd yn hyn a dyma hanes rhai ohonyn nhw.

GWARTHAIG

Dydi gwarthaig ddim yn anifeiliaid i chwara efo nhw. Mae pobol yn meddwl mai dim ond teirw sy'n beryg, ond fel y gŵyr pob ffarmwr mae buwch efo llo bach yn gallu bod yn llawer peryclach na tharw. Mae 'na dros gant ac ugian o warthaig yn y siedia 'ma ac mi ydan ni'n lloua dros gant ohonyn nhw. Rydan ni'n gwybod am bob buwch, ac mi alla i feddwl am un fuwch, y ffeindia'n bod, ond lwc owt pan gaiff hi lo. Allwch chi ddim mynd yn agos ati am o leia dair wythnos. Mae'n rhaid 'u parchu nhw. Dydan nhw ddim yn betha i'w cymryd yn ysgafn, ac mae rhai mwy gofalus na ni wedi'i chael hi dros y blynyddoedd.

Dwi'n cofio'r flwyddyn dwetha a ninna'n trin gwarthaig ym Mhlas Newydd, Sir Fôn. Roedd ganddon ni tua chant o warthaig yn y sied ac roedd Yncyl Wil efo ni. Mae o'n saith deg wyth ac wedi bod yn y *wars*, wedi cael dau ben-glin newydd, tri yn wir, gan i'r un cynta fynd yn rong!

Roeddan ni'n dod i ben â thrin y gwarthaig ac yn eu gollwng nhw allan drwy'r giât bob yn un fel roeddan ni'n gorffan efo nhw. Roedd un heffar ymhlith y gweddill oedd ar ôl, un roeddwn i wedi ama ei bod hi dipyn bach yn beryg. Wrth geisio gollwng honno mi drodd i mewn i gwt ac mi aeth Yncyl Wil ar ei hôl i'w chael allan. Mi gododd yr heffar ar ei choesa ôl fel ceffyl ac mi landiodd ei dwy goes flaen ar Yncyl Wil a'i fwrw i'r llawr, gan dorri ei goes a'i ysgwydd. Roedd hi'n ymddwyn fel ceffyl rasio ac yntau ar ei gefn ar lawr. Ond mi alla petha fod wedi bod yn waeth. Roedd gyrdyrs concrit ar lawr y cwt a thasa fo wedi mynd i'r llawr droedfedd neu ddwy o'r lle y disgynnodd o mi fasa wedi taro'i ben yn un o'r gyrdyrs ac o bosib wedi cael ei ladd.

Mae Yncyl Wil yn foi tyff. Pum munud gymrodd hi i fois yr ambiwlans gyrraedd yno a'i drin o cyn mynd â fo i'r ysbyty. Uffarn o fois neis, ac mae o'n rial boi erbyn hyn.

Eto i gyd, efo bustach y cawson ni'r helynt gwaetha.

Roedd gan Yncyl Teg, brawd ieuenga Dad, nifer o warthaig ym Mhlas Ucha, Penmaenmawr. Roeddan nhw ar y ffriddoedd yn eitha agos i'r pentra a'r ysgol, ac roedd angan eu symud.

Mi aeth Robat a Ieuan a fi ati i neud y gwaith, a doedd dim traffarth efo'r rhan fwya ohonyn nhw, ar wahân i ddau fustach ddaru ruthro amdanon ni. Roeddan nhw'n hollol wyllt. Doedd dim byd i'w neud ond mynd i ben coedan o'u ffordd ac mi lwyddais i daro un ohonyn nhw yn ei dalcen efo lwmp o garrag. Ond mi wnes i betha'n saith gwaeth. Mi frefodd yn fygythiol, rhoi ei ben i lawr a phlannu drwy'r ffens a'r llall ar ei ôl.

I lawr ac i lawr â nhw ac mi wydden ni fod yr ysgol ar eu llwybr, felly mi aeth Robat ffwl sbîd ar ei foto-beic i'r ysgol i'w warnio nhw i hel y plant i mewn ac i aros i mewn nes y bydda'r peryg drosodd. O dan yr ysgol roedd lleiandy a rhwng y ddau adeilad roedd ochor serth yn llawn rhododendrons. Mi aeth Ieuan a fi am y lleiandy yn y landrofer gan y gwydden ni fod y bustach yn 'nelu am y fan honno. Dim ond un bustach roeddan ni'n ei ganlyn erbyn hyn, yr un drewais i yn ei dalcen efo'r garrag. Roedd y llall wedi arafu a throi yn ei ôl.

Sut y llwyddodd y bustach i fynd dros wal yr ysgol, dwi ddim yn gwybod, ond mi glywn sŵn mawr ynghanol y rhododendrons felly mi es ar frys i ardd y lleiandy. Yn fan'no roedd lleian yn eistedd ar fainc yn darllen.

'You can't sit there!' gwaeddais arni.

Mi gododd ei phen ac edrych arna i fel taswn i'n lwmp o faw.

'Don't you know this is private property?' meddai mewn acen swanc. 'You are trespassing. Get off this property at once.'

Roedd hi'n annifyr iawn – welais i 'rioed ddynas mor flin.

'Get off now,' medda hi wedyn a finna'n trio deud wrthi be oedd yn bod.

Allwn i neud dim ond deud a deud drosodd a throsodd, 'You'd better move', a hitha'n gwrando dim arna i. Ond y funud nesa dyma'r sŵn mawr 'ma'n dod o ganol y rhododendrons oedd yn terfynu ar yr ardd. Mi ollyngodd y llyfr yn ei braw, codi ei gwisg laes, ddu efo un llaw a rhoi'r llall ar ei phen a rhedag nerth ei thraed am ddrws y lleiandy.

Mi landiodd y bustach yn yr ardd ond welodd o mo'r lleian, na'r lleiandy chwaith, am wn i. Mi a'th yn 'i flaen i'r lôn ac am y fynwant, a be oedd yn dod ar hyd y ffordd am dro ond dynas sidêt efo ci bach ac mi ges i andros o fraw, meddwl be tasa'r ci'n cynddeiriogi'r bustach a fynta'n mynd am y ddynas. Mi alla'i lladd hi. Roedd o'n hollol wallgo a ninna'n trio'n gora i'w gornelu a'i gael i'r trelar.

Erbyn hyn roedd Dad wedi mynd o'n blaena ni ac wedi agor y giât i un o gaeau Trwyn yr Wylfa lle roedd perthynas i ni, Emrys Hughes, oedd wedi priodi chwaer fy mam, yn byw. Roedd Dad wedi'i weld ac wedi esbonio'n sydyn iddo fo be oedd yn digwydd. Allen ni neud dim ond gwylio'r bustach yn rhuthro'n orffwyll ar hyd y lôn, heibio'r ddynas a'i chi, diolch am hynny, ac yna, yn wyrthiol, i mewn drwy'r giât i'r cae.

Roeddan ni wedi cau'r ysgol i bob pwrpas ac wedi llwyddo i ddychryn lleian a dynas sidêt efo'i chi ac roedd y bustach yn dal yn rhydd ac yn dal yn hollol wallgo. Mae'n rhaid gen i fod y garrag drawodd o yn ei ben wedi gneud rhywbath mwy iddo fo na'i wylltio – wedi amharu ar ei ymennydd, mae'n siŵr. Doedd dim i'w neud ond ffonio'r polîs a deud wrthyn nhw be oedd wedi digwydd.

Yn y man mi ddaeth dau blismon yno, dau brofiadol, wedi bod efo'r fyddin yn y Falklands, a'r ddau'n cario gynnau pwerus iawn. Mi esboniwyd i ni na fydden nhw'n hapus i un saethu'r bustach rhag ofn iddo fethu'i ladd a'i gynddeiriogi fwy fyth. Roedd yn rhaid i'r ddau saethu, un yn anelu am ei ben a'r llall am y galon. Rhaid eu bod wedi cyfri cyn gneud achos dim ond un ergyd glywais i, a'r ddau'n saethu yn union yr un adeg.

Mi ddisgynnodd y bustach yn glewt ar lawr a symudodd o 'run fodfedd wedyn.

Dydi Dad ddim yn hoffi gwastio dim byd, ac roedd y bustach yn werth tua saith can punt mae'n siŵr. Dyma gael *loader* a'i godi a'i waedu cyn mynd â fo i un o'r cytiau ar y ffarm. Roeddan ni'n meddwl ein bod yn ddiawl o fois, a chan nad oedd petrol yn y jênso dyma Ieuan yn cael *brainwave* ac yn rhoi *cooking oil* ynddi. Ar ôl ei thanio dyma lifio'r bustach yn ddau hannar ac yna, wedi iddo fod yn hongian am dair wythnos, talu i fwtsiar ddod yno i'w dorri. Ew, roedd pawb yn edrych ymlaen at gael tamad ohono, *steaks* mawr trwchus, blasus achos roedd o'n fustach da. Ond wyddoch chi be, mi fethodd pawb ohonon ni â bwyta cegiad ohono. Roedd y cig yn edrych yn iawn, ond roedd o'r hyn y basach chi'n ei alw yn *bone tight* ac roedd hen flas sur, annifyr arno fo, ac i'r cŵn yr aeth o i gyd.

Be oedd wedi digwydd? Roedd y bustach wedi c'nesu, wedi poethi yn wir wrth redag yn wyllt drwy'r lle, a wnaeth tair wythnos o hongian ddim gwahaniaeth iddo fo. Roedd y damej wedi'i neud tra oedd o'n fyw. Mae'n dangos, yn tydi, pan fyddwch chi isio lladd rhywbath bod yn rhaid ei ladd yn dawel a digynnwrf.

Do, mi gollwyd y bustach am 'mod i wedi'i daro ar ei ben efo carrag. Ond y fo neu fi oedd hi, ynte? Ac roedd yn well iddo fo fynd na fi, yn doedd?

Y CACWN

Mae Dad yn licio bargan a rhyw ddeng mlynadd yn ôl roedd o wedi prynu dafad a dau oen gan Seimon, sarjant y pentra a gadwai ychydig o ddefaid yng ngardd John y bwtsiar, ac roedd o isio mynd i'w nôl nhw un min nos.

Roeddwn i wedi cael diwrnod calad, wedi blino'n lân ac yn mwynhau pum munud adra efo'r wraig, fel mae rhywun. Fynta'n hewian arna i i fynd efo fo i'w nôl nhw y noson honno a finna ddim isio mynd. Beth bynnag, mynd fu raid a chnocio ar ddrws John y bwtsiar a'i wraig, Bethan.

'Ydi'r ddafad a'r ŵyn yma?' holais.

'Ydyn,' medda John. 'Yn yr ardd 'ma yn rhywle, yn y topie 'na mae'n siŵr.'

Darn o dir digon garw ar lethr oedd yr ardd, darn bychan clir yn y gwaelod a rhododendrons a mieri'n cyfro'r rhan fwya o'r gweddill, a doedd dim golwg o'r ddafad nac o'r ŵyn.

Yr adeg honno roedd gen i gi o'r enw Craig ac roedd o'n ddiawl o gi da – mi ddaliai ddafad yn rhywla. Dyma'i anfon o i chwilio am y defaid, ond yn ei ôl y daeth o hebddyn nhw.

'Mi fydd yn rhaid i ti fynd i fyny dy hun,' medda Dad, ac i fyny yr es i'n ddigon anfoddog.

'Wela i monyn nhw yn unman,' medda fi ar fy nghwrcwd ynghanol y mieri.

'Cod dy ben, maen nhw o dy flaen di!' gwaeddodd Dad yn ôl.

Ac mi gododd Jones ei ben. Yn syth i ganol nyth o gacwn!

Wel, sôn am le oedd yno wedyn. Glywsoch chi 'rioed y fath regi! Roeddwn i'n gwisgo hen hwd, a'r hyn wnes i, fel roeddwn i fwya gwirion, oedd tynnu'r hwd yn dynnach dros fy mhen i drio arbad fy hun. Ond roedd y cacwn eisoes i mewn ynddo ac roedd tynhau'r hwd yn gneud petha'n waeth. Roeddwn i'n bigiadau i gyd a'r cacwn ym mhobman, yn mynd i lawr fy ngwar ac i lawr fy nghefn a finna'n stryffaglio rywsut-rywsut drwy'r drain nes cyrraedd y gwaelod o'r diwadd. Y drws nesa i'r bwtsiar roedd dynas barchus, gapelaidd yn byw a dwi ddim yn meddwl iddi 'rioed glywad y ffasiwn araith. Roeddwn i'n diawlio Dad a'r ci ac yn eu galw'n bob enw dan haul.

Dyma Bethan yn deud wrtha i am roi finag ar y pigiadau, ond roeddwn i wedi gwylltio cymaint wn i ddim be ddwedais i yn ôl wrthi pan glywais i hynny.

'Dwi'n mynd adra,' medda fi.

'Nag wyt ddim, ddim heb y defaid,' medda Dad. Doedd ganddo fo ddim cydymdeimlad! Ac efo'r defaid yr aethon ni a'r ddau ohonon ni'n ffraeo fel ci a chath yn y pic-yp. Roeddwn i fel yr *elephant man* wedi chwyddo drosta i gyd.

Mae Rhian yn cadw gwenyn, mae ganddi bedwar cwch, ac mi glywais i Nain yn deud, fel jôc roeddwn i'n meddwl, mai rhwbio nionyn oedd y peth gora at bigiad gwenyn. Ond cacwn neu wenyn meirch oedd yn y nyth y rhois i 'mhen ynddi, ac mae eu pigiadau nhw'n waeth na phigiad gwenyn. Dwi wedi dysgu erbyn hyn bod yr hyn roedd Bethan a Nain yn ei ddeud yn wir. Mae asid mewn finag ac mewn nionyn, a'r asid hwnnw'n niwtraleiddio'r asid sy ym mhigiadau cacwn a gwenyn.

Ond fasa finag na nionyn ddim wedi atal y llifeiriant o regfeydd y noson honno. Ar Dad roedd y bai. Be mae rhywun yn gorfod ei neud er mwyn ei deulu, ynte?

Y Bwgan

A finna allan bob awr o'r nos dwi wedi cael fy nychryn lawer gwaith ond dwi ddim yn greadur ofnus – os ca i esboniad o'r hyn sy wedi 'nychryn i, mae popeth yn iawn. Dwi'n cofio pan oeddwn i'n mynd i'r clwb ieuenctid erstalwm 'mod i'n reit ofnus gan fod y lôn yn hir a thywyll ac yn mynd trwy'r goedwig, ac mi fydda ffrind i mi yn dod i 'nghyfarfod i'n amal, a finna'n teimlo'n well o gael cwmni.

Dwi'n cofio un noson, a finna ar 'y mhen fy hun ac yn cerddad i lawr heibio Ysgol Nant, i mi glywad sŵn babi'n crio a methu deall be oedd yn bod na lle roedd o.

Rai dyddia'n ddiweddarach dyma ddigwydd deud wrth Bob Bach Bwtsiar be oeddwn i 'di glywad.

'Wyddost ti be oedd o?' medda fo wrtha i. 'Draenog bach yn crio. Maen nhw'n gneud sŵn yn union 'run fath â babi.'

Wel, roeddwn i'n teimlo'n llawer hapusach wedyn, wedi cael esboniad o'r hyn glywais i.

Ond be newch chi os nad oes yna esboniad i'w gael?

Dwi'n mynd yn ôl bymthag i ddeunaw mlynadd, pan

oeddwn i'n byw adra. Mae yna adeilad mawr ar lan y môr yn Llanfairfechan, hostel yn perthyn i'r Christian Fellowship. Pobol efo lot o bres sy pia fo, a phobol efo lot o bres sy'n dod yno i aros efo'u cychod cyflym a'u Range Rovers. Un min nos, a finna newydd ddod i'r tŷ, dyma gnoc ar y drws. Boi ifanc o'r Christian Fellowship oedd yno a dyma fo'n deud wrtha i yn Saesneg ei fod o wedi clywad bod gen i dractor mawr. Mi atebais i bod, ond ei fod o'n beth rhyfedd iawn i'w ddeud. Wedyn mi esboniodd be oedd ei broblam o. Roedd eu cwch modur wedi mynd yn sownd yn y tywod, a'r Range Rover wedi mynd yn sownd wrth geisio'i dynnu oddi yno, ac roedd y llanw wedi dod i mewn drostyn nhw. Doedd ganddyn nhw ddim gobaith eu cael oddi yno heb dractor i'w llusgo.

Mi gytunais i fynd i'w helpu nhw gan feddwl y gwnawn i bres bach del o'r fentar, ac mi ofynnais iddo faint o'r gloch oedd isio i fi a Dad fynd i'r traeth. Tua hannar awr wedi dau y bora oedd yr atab, pan fydda'r llanw wedi mynd allan. Ac mi ofynnodd i mi faint fydda'r job yn gostio. Mi fentrais inna ddeud hannar canpunt. Dim problam o gwbwl oedd yr atab, a finna ar unwaith yn difaru na faswn i wedi gofyn am fwy!

Ond roedd hannar canpunt yn arian da am y job, ac mi aethon ni i chwilio am raffa a chadwyna ac roeddan ni i lawr wrth y traeth erbyn hannar awr wedi dau. Roedd y llanc ac un arall yn aros amdanon ni a chawsom wybod bod y llanw'n mynd allan ond bod y cwch a'r Range Rover yn dal mewn dŵr a bod y tywod yn wlyb, felly roedd yn rhaid aros i betha wella.

Roedd dwy lamp gre ar do'r tractor yn goleuo'r ffordd ymlaen ac un lamp arall yn goleuo at yn ôl. Roedd y ddwy lamp flaen yn goleuo sgwaryn tebyg i gae ffwtbol o'n blaena ni wrth inni fynd yn araf i gyfeiriad y cwch. Dyma'i gyrraedd a rifyrsio'r tractor nes bod y traeth roeddan ni newydd ddreifio ar ei draws yn olau i gyd. Ac yn sydyn, yng ngolau clir y lampa mi welais ddyn yn croesi'r tywod o'n blaena ni. Nid hynny'n unig. Mi ges i'r teimlad mwya uffernol, teimlad nad oeddwn i 'rioed wedi'i gael o'r blaen, a dwi'n dal i deimlo cynnwrf wrth gofio'r peth. Roedd y dyn yn gwisgo coler gron tebyg i weinidog neu ficar. A dyma fi'n deud wrth Dad, 'Blydi bwgan 'di o.'

'Nage siŵr,' medda Dad, 'un o'r petha Cristnogol 'ma o'r hostel ydi o.'

Oedd, roedd o wedi'i weld o hefyd, ond chafodd o mo'r teimlad ges i.

Beth bynnag, roedd yn rhaid mynd ati i dynnu'r cwch i'r lan. Mi aeth un o'r ddau foi i mewn i'r cwch ac mi gerddodd y llall wrth ei ochor fel roeddan ni'n ei lusgo'n araf ymhell o afael y tonnau.

'Where's your mate?' holais i'r ddau ar ôl dadfachu'r cwch.

'What do you mean?' medda un o'r ddau. 'What mate?'

'There were three of you on the beach,' medda fi wrtho fo.

'No,' medda fo, 'only two of us!'

'Mi ddudas i wrthoch chi, Dad, mai bwgan oedd o,' medda fi.

'Falla dy fod ti'n iawn,' oedd yr atab.

Alla i ddeud dim mwy na hynny. Dwi ddim yn foi ofergoelus, dwi ddim yn un sy'n coelio mewn bwgan. Ac eto, fel dwi'n deud, ges i'r hen deimlad rhyfedd 'ma wrth ei weld, ac er y galla fo fod yn rhywun yn mynd am dro, o'r hostel falla, roedd hynny'n annhebygol iawn yr adeg hynny o'r bora, ac mewn coler gron! A dydi hynny ddim yn esbonio'r teimlad ges i, nad ydw i wedi cael dim byd tebyg iddo wedyn.

Chlywais i ddim sôn fod stori am fwgan yn yr ardal, a dwi 'di holi digon. Falla y daw rhywun ata i efo esboniad ar ôl darllen y llyfr 'ma.

Fel dwi'n deud, dwi 'di cael fy nychryn lawer gwaith a chael esboniad o'r peth. Mi ges fy nychryn yn arw y gaeaf dwetha. Roeddwn i wedi cael tipyn o wisgi efo Dad ac mi ofynnodd i mi fynd i edrych ar y gwarthaig cyn mynd i'r gwely. Mae camera yn un o'r siedia, ond does yr un yn y sied bella, felly mi es.

Dwi byth yn mynd â tortsh efo fi gan 'mod i'n nabod y lle fel cefn fy llaw. Rhaid mynd i ben y giât yn y sied bella i roi'r golau ymlaen, ac roedd hi tua hannar awr wedi un ar ddeg mae'n siŵr.

Dyma daro'r switsh, a'r eiliad nesa dyma'r peth gwyn 'ma am fy ngwynab i a phasio o fewn modfeddi nes 'mod i'n teimlo'r gwynt ar fy ngwynab, ac mi ddychrynais am fy mywyd.

Tasa'r peth gwyn wedi fy hitio fi, bwgan fasa fo mae'n siŵr, ond tylluan wen oedd hi. Mae tylluan wen yma ers blynyddoedd lawer, ers pan oeddwn i'n hogyn bach, ac mae'n bridio bob blwyddyn. Roedd rhai ffermwyr yn eu saethu nhw am eu bod yn credu mai adar anlwcus oeddan nhw, adar oedd yn symbol o farwolaeth, ond dwi wrth fy modd bod un yma, ac mae'r plant wrth eu boddau ei bod yma hefyd.

Oes, mae esboniad diniwad a naturiol i'w gael am bob dychryn. Ond eto, chefais i ddim esboniad o'r dyn efo'r goler gron oedd yn cerddad traeth Llanfairfechan am dri o'r gloch y bora, nac o'r teimlad o arswyd ges i'r noson honno.

SAETHU FFESANTOD

Dwi'n meddwl ei bod hi'n bwysig fod gan rywun sy'n gweithio'n galad hobi neu rywbath i fynd â fo allan o'r byd mae o'n gweithio ynddo am ychydig. Felly y bydda i'n meddwl am saethu ffesantod, rhywbath rydw i'n ei neud ers wyth i ddeng mlynadd bellach, ac erbyn hyn mae'r hogia yn dod efo fi.

Mi gychwynnodd criw ohonon ni arni ar ffarm Llwydfan yng Nghonwy, ffarm ffrindia i mi, Wyn Owen ac Euros. Mae pedwar ar ddeg ohonon ni wrthi, saith ym mhob tîm. Y drefn sy gynnon ni ydi fod saith yn saethu a saith yn codi'r ffesantod, yn bîtio – mae hyn yn arbed inni dalu i bobol eraill ddod i mewn i neud y gwaith. Mae 'na griw da ohonon ni, rhai fel Gwyn Cynan, Steve Watts, Emlyn DPS ac Emrys Bwtsiar. Pob un yn saethwr arbennig ac Emrys Bwtsiar wedi saethu dros Gymru mewn cystadlaethau lawer gwaith. Mae 'na ferchaid ymhlith y saethwrs hefyd ac mi fyddwn ni'n gneud tri *stand* yn y bora a dau yn y pnawn, a'r saethwrs a'r bîtars yn newid rownd hannar ffordd.

Un o'r bois oedd yn arfer saethu efo ni ond sy ddim bellach oedd Embo Bwtsh, un sydyn iawn ei dafod. Dwi'n licio meddwl 'mod i'n eitha *quick-witted*, ond doedd dim curo arno fo. Diawl o foi, ond dwi'n cofio croesi cleddyfa efo fo a chael y gora arno fo unwaith.

Roeddwn i wedi cael bora da. Dydw i ddim y saethwr gora, ond roeddwn i wedi llwyddo i gael chwe ffesant. Mae rhywun yn saethu'n well amball ddiwrnod, dibynnu ar y mŵd am wn i. Y pnawn arbennig yma roeddan ni'n symud i ffarm arall, Ty'n Coed, ac mae *stand* ardderchog yno. Mae'r saethwr i lawr yn isel ac o'ch blaen mae coed mawr a llyn lle mae hwyaid gwylltion. Hwn oedd y *prime spot*, lle mae'r ffesantod yn codi dros y coed, a dwi'n cofio bod Robat fy nghefndar, Gwyn Cynan, Steve Watts, Embo, Aled ac Ali efo fi ar y *stand*. Roedd amball i ffesant wedi codi ac un cyffylog, ac roeddwn i ac Embo 'di cael un ffesant yr un. Ei athroniaeth o oedd 'If it flies, it dies.' Roedd o'n ddiawl o saethwr da, byth yn methu.

Mae 'na eticet mewn saethu, 'run fath ag mewn unrhyw

sbort arall, a'r rheol ydi, os ydi'r ffesant yn codi o'ch blaen chi, y chi pia fo, ond os ydi o'n codi rhwng dau, yna rhaid i chi gymryd eich tro. Os 'di'r llall wedi llwyddo y tro cynta, y chi bia'r ail. Ond dwi'n ofni nad oedd 'na lawer o eticet lle roeddan ni yn y cwestiwn.

Beth bynnag am hynny, dyma'r ceiliog ffesant 'ma'n codi yn uchal, uchal i'r awyr a dwi'n meddwl i mi ei fethu efo'r ergyd gynta. Wedyn mi glywais ergyd arall, Embo wedi saethu, cyn i mi saethu'r ail faril ac i'r deryn ddisgyn i'r llawr.

Roedd pawb wedi gweld y ceiliog yn codi, yr holl saethwrs a'r bîtars. Roedd Embo ar boncan ychydig yn uwch i fyny na fi a finna i lawr yn y twll. Wel, roedd o fel banshi, ei wn yn yr awyr a fynta'n dawnsio ac yn gweiddi, 'Ges i hwnna, hogia. Ges i hwnna. Dyna i chi shot! Dim byd fel'na 'di bod ers blynyddoedd.'

Ond dyma fi'n clywad llais bach – fy llais i – yn deud: 'Hei, fi saethodd hwnna.'

'Paid â malu cachu,' medda fo.

'Ia, dwi'n siŵr mai fi cafodd o,' medda fi wedyn.

Erbyn hyn roedd pawb wedi cyrraedd, y plant, y saethwrs a'r bîtars. A dyma fi'n meddwl oeddwn i wedi gneud peth call yn agor fy ngheg. Dim ond ffesant oedd o, wedi'r cwbwl. Ond damia, roeddwn i wir yn meddwl mai fi oedd wedi'i gael o.

'Mi pluan ni o,' medda un. 'Mi gawn ni weld wedyn pwy saethodd o, gweld lle mae'r haels 'di daro fo. Os ar ochor Embo, yna fo pia fo; os ar ochor Gareth, yna Gareth pia fo.'

A dyma fynd ati, pluo fy ochor i o'r gynffon i fyny i ddechra, dim byd. Pluo ochor Embo wedyn, dim byd. Wedyn ymlaen at y pen, a jest ar 'i war o, ar fy ochor i, roedd haels, dwy ohonyn nhw. Fi oedd wedi'i gael o felly. Fy neryn i oedd o!

Wel, nath o ddim dod dros honna. Mi gath o stic gan yr hogia. Dwi ddim yn meddwl y baswn i'n gneud yr un peth eto, mi faswn i'n cau fy ngheg tro nesa. Dwi'n gwybod ei fod o'n swnio'n blentynnaidd, ond taswn i heb ddeud dim mi fasa fo wedi hawlio'r ffesant. Dwi'n siŵr 'i fod o'n meddwl pwy oedd y ci bach yma oedd yn crafu wrth 'i sodla fo. 'Di o ddim yn saethu efo ni rŵan, mae o efo shŵt arall, ond cofiwch, mae o'n ddiawl o saethwr da! Ond da neu ddim, y fi oedd bia'r ffesant y diwrnod hwnnw.

FFEIT YN Y SPLIT WILLOW

Parti pen-blwydd Vicky oedd yr achlysur, rywbryd ar ôl y Dolig. Mae Vicky yn bartnar i Robat fy nghefndar, mab Teg brawd Dad, ac un o'r rhai sy'n gweithio efo fi bob dydd, ac yn y Split Willow, lle sy'n cynnal partïon a phriodasa ac achlysuron tebyg yn Llanfairfechan, roedd y parti. Fan'no y cafodd Rhian a fi ein brecwast priodas. Roedd parti Vicky yn uffarn o barti da, wel ar y dechra beth bynnag, a llawer o'r teulu yno – fi a Huw 'y mrawd, Liam fy nghyfyrder, ffrindia Robat o Benmaenmawr a ffrindia Vicky o'r coleg. Criw rygbi oedd y rheini ac roedd nifer o Saeson yn eu plith, a rhai ohonyn nhw'n hen fastards a deud y gwir.

'Dach chi'n gwybod fel mae rhywun yn cymryd at rai pobol ac yn erbyn rhai eraill. Wel, hen griw annifyr oedd rhai o'r criw rygbi ac roeddan nhw'n canu cân Lloegr, 'Swing low, sweet chariot', a ninna'n canu 'Stick your chariot up your arse'. Rhwng popeth mi aeth hi dipyn bach yn boeth yno!

Rywbryd yn ystod y min nos roedd Wayne, ffrind Robat, yn sefyll wrth y goedan Dolig. Roedd o'n hogyn mawr ac roedd yr hogia rygbi yn rhai mawr hefyd, pob un tua ugian oed, ac roedd rhyw ddeuddag i bymthag ohonyn nhw.

Dyma un ohonyn nhw'n deud rhywbath wrth Wayne, dwi ddim yn gwybod be, ond hynny oedd y sbarc i danio'r goelcerth. Mi aeth hi'n hollol flêr yno wedyn, pawb yn colbio'i gilydd mewn *free for all* go iawn.

Doedd dim cymaint ers pan oeddwn i wedi cael triniaeth hernia a doeddwn i ddim isio helynt. Roeddwn i hefyd wedi cael crys lliwgar yn anrheg Dolig gan Rhian ac roedd gen i feddwl mawr ohono fo. Na, doeddwn i ddim isio helynt, ond doedd hynny ddim yn poeni Huw fy mrawd. Mae o ymhell dros ei chwe throedfedd ac yn dipyn o stidwr. Os 'dach chi mewn congol, fo 'di'r boi i fod efo chi!

Yn sydyn dyma rywun yn cydio yn'o i o'r tu ôl a rhwygo 'nghrys i. Wel, dyna hi wedyn! Roedd rhyw hannar dwsin o'r bois rygbi wedi mynd i'r stafall gefn i rywla a dyma fynd ar eu hola nhw. Roedd y boi oedd y tu ôl i'r bar wedi colli rheolaeth yn llwyr ac wedi mynd i guddio i rywla. Dyma fi a Huw a Liam ac un neu ddau arall ar eu hola nhw i'r stafall gefn. Mi drawodd rhywun fi ar dop 'y mhen efo potal ac mi ddisgynnais i'r llawr a'r boi 'ma ar 'y mhen. Mi lwyddais i gael un goes yn rhydd ac mi rois uffarn o gic i'r boi nes oedd o ar lawr. Mi gododd, ac fel roedd o'n codi dyma Huw yn rhoi un iddo fo ynghanol ei wynab ac wedyn yn cydio yn ei jympar a ffling iddo fo trwy'r drws.

Erbyn hyn roedd y lleill wedi cael digon hefyd a ffwrdd â nhw allan o'r lle ac am y bws mini. Roedd y boi y tu ôl i'r bar yn dipyn o fêts efo Huw ac mi ddwedodd wrthon ninna am ei heglu hi gan ei fod o wedi galw'r polîs. Roeddan ni wedi cyrraedd adra'n saff cyn iddyn nhw landio, ac er i un neu ddau oedd ar ôl gael eu harestio mi ddaethon ni o'r ffrwgwd â'n traed yn rhydd. Oedd, roedd honno'n noson fawr. Mae gofyn bod yn ofalus pwy 'dach chi'n ei wahodd i barti, yn tydi! Y fi ddylsa fod yn edrych ar ôl Huw gan mai fo 'di'r brawd bach, ond y fo edrychodd ar fy ôl i y noson honno. Diolch amdano fo.

Fi trwy lygaid fy mrawd

Mae Gareth yn wahanol iawn i fi. Roeddan ni'n eitha tebyg pan oeddan ni'n blant – dim llawar o ddiddordab mewn gwaith ysgol, ond mi aeth o yn ei flaen i Goleg Glynllifon a finna allan i'r byd i neud pres, yn gweithio ar ffarm y coleg ac wedyn ar yr A55. Erbyn hyn mae gen i fy musnes fy hun ond dwi'n dal i fyw ynghanol y ffermydd a'r ffarmio ac yn cadw cysylltiad agos efo'r teulu.

Roeddwn i dipyn bach yn wyllt pan oeddan ni'n griw o hogia, a Gareth yn fy achub yn amal gan ei fod o'n fwy pwyllog ac yn meddwl mwy cyn gweithredu. Roedd o'n edrych ar fy ôl. Mae o'n debyg iawn i Dad, yn siaradwr da. Mi fedar Dad godi ar ei draed yn rhywla, mewn angladd, mewn priodas, unrhyw le, a siarad, ac mae Gareth yn debyg iddo.

Mae o'n hapus o flaen y camera ac mae hynny'n beth da iawn gan ei fod o'n gneud cymaint o waith teledu. Mae o hefyd yn deall ffarmio, yn deall sut mae petha'n gweithio a sut i gael grantiau a be 'di'r datblygiada ym myd ffarmio. Mae ffarmwrs yn rhai garw am grantiau ac mi fasan nhw'n derbyn grant am fynd i'r toilet tasa 'na grant i'w gael!

Mae Gareth, fel Dad, yn weithiwr calad ac yn deall cŵn defaid ac yn dda am eu dysgu. Fyddwn ni'n dau byth yn ffraeo – cega digon, ond dim ffraeo. Mae o'n fy nhrin i fel brawd bach o hyd, er 'mod i'n dalach na fo o dipyn. Er 'mod i'n sics ffwt ffôr, Huw Bach fydda i am byth mae'n debyg.

Fel y dwedais i ar y dechra, mae mwy nag un math o argyfwng, ond mae'r un mae pob ffarmwr yn ei ofni yn haeddu pennod iddo'i hun. 'Dach chi'n iawn – y ffwt and mowth.

7

Clwy'r
Traed a'r Genau

Y BYGYTHIAD MWYA i ffarmwr ydi clwy'r traed a'r genau, ac yn 2001 mi ddychwelodd i Gymru, 34 o flynyddoedd wedi iddo ymddangos cyn hynny, sef yn 1967, blwyddyn fy ngeni i.

I'r rhai nad oeddan nhw yn y byd ffarmio ac i lawer o'r papura newydd, stori fawr y clwy oedd yr arian anhygoel a gâi'r ffermwyr fel iawndal am eu hanifeiliaid – y compo. Ond doedd yr iawndal ddim yn hannar y stori.

Does dim profiad mwy erchyll yn bosib i ffarmwr na gweld ei stoc – ei fuches warthaig a'i ddiadell ddefaid – yn cael ei ddifa, stoc y mae wedi cymryd blynyddoedd i'w ddatblygu, a dydi iawndal ddim yn dileu'r gofid, y pryder na'r digalondid a deimlir wrth syllu ar gaeau gwag mewn cefn gwlad llonydd a distaw, heb fref dafad na buwch i dorri ar y tawelwch.

Galwad ffôn rybuddiodd ni fod y clwy wedi cyrraedd Gaerwen ar Ynys Môn, yn agos at Blas Newydd, ffarm y Marquis, y ffarm roeddan ni newydd ei chymryd drosodd ryw ddeng mis ynghynt, ac arni roedd chwe chant o'n defaid, yn fogau, yn feheryn ac yn ŵyn. Roedd Rhian yn disgwyl Rolant, ein hail fab, ar y pryd, dwi'n cofio, ac yn ymyl ei hamsar.

Dad a fi ac Yncyl Teg fydda'n mynd draw yno i drin y stoc, ac felly roedd hi pan gawson ni alwad ffôn yn trefnu inni gyfarfod ffariar yno oherwydd y clwy. Un o Awstralia oedd o ac mi aeth ati i archwilio'r defaid, a doedd o ddim yn hapus iawn efo un ohonyn nhw. Roedd yn bosib bod y clwy arni, a fydda hynny ddim yn syndod gan fod y lladddy yn Gaerwen, lle torrodd y clwy allan ar Ynys Môn, o fewn ychydig filltiroedd i'r ffarm.

Dyma fo'n deud wrthon ni na alla fo ganiatáu i ni fynd adra rhag inni gario'r clwy drosodd o'r ynys. Mi ges i sioc pan glywais i hynny a dyma esbonio wrtho fod Rhian yn disgwyl a'i bod o fewn dyddia i amsar geni. Mi addawodd y basa fo'n gneud ei ora ac mi ffoniodd ei fosys i drafod efo nhw. Roedd ganddon ni ddigon o ddisinffectant ar y ffarm ac mi aethon ni ati i'w chwistrellu ar y cerbyd a'i olwynion ac arnon ni ein hunain, achos y peth ola oeddan ni isio oedd cario'r clwy i Dy'n Llwyfan.

Mi gawson ni ganiatâd i fynd adra, beth bynnag, ar ôl i'r ffariar ailedrych ar y ddafad a phenderfynu nad oedd y clwy arni.

Ymhen deuddydd dyma alwad ffôn yn deud bod yn rhaid difa'r holl stoc oedd ar y ffarm oherwydd eu bod o fewn yr ardal lle roedd yn rhaid cael gwared â'r stoc cyfan. Roedd yna filoedd o anifeiliaid yn yr ardal ddifa, a'r syniad oedd ceisio cyfyngu'r clwy fel na fydda fo'n lledu.

Wna i byth anghofio'r difa. Dwi'n gwybod mai cael eu magu i'w lladd mae ŵyn, ond mae yna ladd a lladd. Roedd y rhain yn cael eu lladd cyn eu bod nhw wedi tyfu, wythnosa'n unig ar ôl iddyn nhw gael eu geni, pan fuon ni'n tendio arnyn nhw, yn edrych ar eu hola a sicrhau eu bod yn iawn. Mae wyna yn gallu bod yn amsar braf, teimlo eich bod yn edrych ar ôl yr anifeiliaid, a phrofiad digalon iawn oedd gweld y defaid yn cael eu llwytho ar y loris i fynd i'r lladd-dy yn Gaerwen.

Roedd yna ffariar efo ni'n lladd yr ŵyn ar y ffarm, yn rhoi pigiad iddyn nhw yn eu c'lonna, a doedd o ddim yn un da iawn a ddim yn cael llawer o hwyl arni. Berwyn oedd dreifar y lori ac roedd o'n bygwth ei riportio fo oni bai ei fod o'n gneud gwell job ohoni. Roeddan ni'n gorfod edrych ar ŵyn bach newydd gael eu geni yn cael eu lladd, tra bod y ffariar ei hun yn hollol ddideimlad ynglŷn â'r peth.

'Put ten in each bag,' medda fo. 'The army boys will be picking them up and they'll be complaining if the bags are too heavy.'

Dwi ddim yn meddwl y gall neb ddychmygu'r poen meddwl roedd pawb, nid jyst y ni, yn mynd drwyddo fo oherwydd y clwy a difa'r anifeiliaid, a doedd yr iawndal gafwyd yn gneud dim byd i leddfu hynny. Chafodd neb arian am y poen meddwl.

Ond dim ond dechra'r stori oedd gwaredu defaid Plas Newydd.

Mi gliriwyd y rhan o Sir Fôn lle roedd angan difa o bob buwch a dafad, ac roedd Plas Newydd yn wag erbyn hyn wrth gwrs. Ond nid dyna'r unig ddefaid oedd ganddon ni ym Môn. Roedd dau gant a hannar o ddefaid cadw, o sbinod, sef ŵyn llynedd, ar ffarm Ty'n Llan ym Modedern, ac roedd y perchennog, Rhys Hughes, ar y ffôn o hyd isio i ni eu symud gan fod yr amsar wedi dod i ben a'i fod o isio troi ei warthaig allan ar y tir.

Ond doeddan ni ddim yn cael eu symud nhw adra i dir oedd o fewn milltir i'r Carneddi, ac allen ni mo'u symud nhw i Blas Newydd gan fod cadw anifeiliaid yno wedi'i wahardd. Roedd hi'n *catch-22* arnon ni.

Doedd dim i'w neud ond ffonio Caernarfon i drefnu cyfarfod, ac fel ysgrifennydd y cwmni y fi aeth yno. Dydd Gwener cyn gŵyl y banc oedd hi a doedd dim llawer o bobol yn gweithio, ond mi ges i afael ar swyddog – wna i ddim ei enwi – ac mi esboniais fy mhroblam wrtho. Mi ddwedais fod gen i ddau gant a hannar o ddefaid ym Modedern a 'mod i'n desbret i'w cael nhw adra.

Mi ddwedodd y swyddog y bydda'n rhaid i mi gael ffariar i'w harchwilio nhw i sicrhau eu bod yn iawn cyn eu symud, wedyn mi ofynnodd i ble oeddwn i isio mynd â nhw. Mi ddangosais ffarm Ty'n Llwyfan a'r ffermydd eraill iddo fo ar y map.

'Sori, ond maen nhw i gyd ar ffinia'r mynydd, o fewn milltir i'r terfyn, a chewch chi mo'u symud nhw yno,' medda fo.

A dyma fi jyst yn deud, 'Be am Plas Newydd yn Llanfairpwll?'

Roedd tua tair wythnos wedi mynd heibio ers y lladdfa yn y fan honno.

'Mae Plas Newydd yn glir erbyn hyn,' medda fo.

'Ew, 'dach chi'n siŵr?' medda fi.

'Ydi, ydi,' medda fo, a dyma fo'n mynd i rywla er mwyn cael cadarnhad ei fod o'n deud y gwir. Mi ddaeth yn ei ôl a deud bod popeth yn iawn.

Felly dyma fynd ati ar unwaith, gan fod penwythnos gŵyl y banc ar y trothwy, i gael trwydded a'i llenwi, cael enw'r ffariar fydda'n dod i edrych ar y defaid a phetha felly – gneud popeth oedd ei angan i gyfarfod gofynion y gyfraith. Wedyn ffonio Rhys Hughes i ddeud y bydden ni'n dod yno ddydd Llun gŵyl y banc i'w nôl nhw. Mae'r drwydded yn dal gen i!

Glyn Edwards oedd dreifar y lori ac mi aethon ni i Fodedern, ac yno roedd y ffariar o Fôn, Mr Jones, yn aros amdanon ni.

'Ydyn,' medda fo, 'mae'r defaid yn berffaith iach i gyd.'

Felly dyma lwytho eu hannar nhw ar y lori a ffwrdd â ni.

Roedd o'n deimlad mwya od, teithio drwy'r rhanna o Fôn lle nad oedd yr un anifail, dim buwch na dafad, i'w weld yn unman. Fel roeddan ni'n troi am Lanfairpwll dyma Glyn yn gofyn i mi:

'Wyt ti'n siŵr fod y leisans yma'n iawn?'

'Ydw,' medda fi. 'Rydan ni wedi gneud pob dim maen nhw 'di ofyn,' ac ymlaen â ni, troi wrth y Pink Lodge a dadlwytho'r defaid yn y ffarm. Yna'n ôl i gael llwyth arall a'r ffariar yn dal yno. Pawb yn hapus – Rhys Hughes o gael gwared ar y defaid a ninna o'u cael yn saff i Blas Newydd.

A dyna'r stori ar ben, helynt y defaid drosodd, a ninna'n falch o fod wedi'u harbed a hynny ynghanol cyfnod anodd i bob ffarmwr.

Neu felly roeddan ni'n teimlo nos Lun! Fora Mawrth mi gafodd Dad alwad ffôn gan bennaeth yr adran yng Nghaernarfon.

'Be 'dach chi wedi'i neud?' medda fo. ''Dach chi wedi twyllo, wedi symud y defaid. 'Dach chi 'di cael pres mawr unwaith a'r cyfan 'dach chi'n ei neud ydi chwilio am ragor o bres.'

Dyma Dad yn gweiddi arna i, ''Rarglwydd, be 'dan ni 'di neud?'

''Rhoswch funud,' medda fi, 'mi a' i nôl y leisans.' Ar y leisans roedd rhif, ac mi ddwedais wrth Dad am ddeud y rhif dros y ffôn wrth y dyn.

'*Error*,' medda hwnnw ar unwaith, 'mae'r leisans yn anghywir.'

'Camgymeriad 'ych pen chi ydi o,' medda Dad wrtho fo, 'a dalltwch chi hyn, 'dach chi ddim yn cael difa'r rhain, sbinod Llyn yr Afon.'

Y rhain oedd y sbinod gora oedd gynnon ni, sbinod cynefin Llyn yr Afon yn ochra Aber.

Mi aeth y matar i'r Cynulliad, a galwada ffôn yn dod gan swyddogion oddi yno yn deud y bydden nhw, nid Caernarfon, yn delio efo'r broblam ac yn ei sortio hi. Roedd Dad yn dal yn styfnig ac yn deud nad oedd o am eu lladd nhw, na chaen nhw eu lladd, ac roedd pobol y teledu yn ffonio bob dau funud isio gneud eitem ar y peth a ninna ddim isio dim byd o'r fath, dim ond cadw'r defaid. Ond mi ymddangosodd adroddiad byr yn Saesneg yn y *Daily Post*:

Camgymeriad Symud Defaid

Mae 224 o ddefaid iach i'w lladd ar ôl iddyn nhw gael eu symud yn ddamweiniol i ardal ddifa Clwy'r Traed a'r Genau. Gwnaed camgymeriad gan swyddogion a ganiataodd i'r defaid gael eu symud i'r ardal waharddedig. Dywedodd Carwyn Jones, y Gweinidog Materion Gwledig, y byddai'n rhaid lladd yr anifeiliaid.

Fel hyn y buodd hi am rai dyddia, galwada ffôn o bob cyfeiriad, nes i ni un diwrnod dderbyn galwad o Lundain. Roedd y matar wedi mynd i'r fan honno ac roedd swyddog uchal isio trefnu cyfarfod efo Dad a'r hogia ym Mhlas Newydd.

Fel o'r blaen, fi, Dad ac Yncyl Teg aeth yno, a sylwi, wrth inni basio'r *lay-by* mawr cyn cyrraedd y Pink Lodge, fod 'na lorïau cario anifeiliaid wedi'u parcio yno.

Roedd Dad yn dal i fynnu nad oedd y defaid i'w lladd ac Yncyl Teg yn ceisio'i ddarbwyllo mai delio efo deddf gwlad roeddan ni, ac os oedd yna ddeddf yn deud bod yn rhaid lladd, nad oedd gynnon ni ddewis. Ond roedd Dad yn benderfynol!

Dyma gyrraedd y buarth ac yno roedd car, ac allan o'r car mi gamodd dyn bach pwysig yr olwg mewn siwt olau, cocyn bach a deud y gwir. A dyma fo'n holi yn Saesneg pwy oedd perchnogion y defaid, ac mi atebodd Dad mai ni oedd pia nhw, ac mi bwyntiodd ata i a deud mai fi oedd y bugail. Mi ddwedodd y dyn y bydda'n rhaid lladd y defaid, ac mi ddwedodd Dad na châi o neud hynny. Roedd petha wedi dechra'n wael a ffrae yn corddi ar unwaith.

'Does dim gwahaniaeth be ddwedwch chi,' medda fo, neu eiria tebyg. 'Mi gewch chi rybudd swyddogol gorfodol i'w lladd nhw. Mi allwch neud hyn y ffordd hawdd neu'r ffordd anodd, ma hynny i fyny i chi, ond lladd y defaid fydd diwadd y stori, waeth be ddwedwch chi. Ewch ati i drafod y pris 'dach chi isio am y defaid a dowch yn ôl i ddeud wrtha i,' medda fo.

Roedd Dad yn dal yn styfnig ond doedd Yncyl Teg ddim isio helynt. Roedd o'n gweld nad oedd dewis arall gynnon ni ond plygu i'r drefn. Sylweddolai be fydda'n digwydd pe bai'r clwy yn torri allan wedyn yn y rhan honno o Fôn – y ni fydda'n cael y bai am hynny.

'Mi ofynnwn ni bris mawr am y defaid,' medda Dad, 'falla y gwnaiff o wrthod.'

A dyma benderfynu ar bris oedd yn fwy na'u gwerth ar y farchnad a mynd yn ôl at y dyn a deud wrtho faint oeddan ni'n ei ofyn, gan feddwl y bydda fo o leia'n bargeinio, os nad yn gwrthod ar unwaith. Mi ddwedodd Dad y pris wrtho fo.

'Fine,' medda fo yn ei acen swanc, heb droi blewyn, ac ysgwyd llaw efo Dad. Ond fe'n siarsiodd ni i beidio â mynd at y wasg efo'r stori, a pheidio datgelu'r pris gawson ni am y defaid.

Ac wedyn dyma fo'n deud:

'Now you can go. These sheep are mine.'

Wrth inni gychwyn oddi yno dyma Yncyl Teg yn troi at Dad a deud, 'Ddylsan ni fod wedi gofyn mwy amdanyn nhw.'

Falla fod hynny'n wir, achos o feddwl erbyn heddiw, doedd o ddim yn bris mor fawr â hynny. Ond roeddan ni'n tri'n teimlo'n fflat ac yn gwybod, wrth groesi yn ôl i Sir Gaernarfon, fod y lladd eisoes wedi dechra ac y bydda peirianna mawr yn codi'r cyrff a'u llwytho i'r lorïau fel 'taen nhw'n ddim ond sbwriel – cyrff cenhedlaeth gyfan o ddefaid roedd ein cyndadau wedi gweithio ers blynyddoedd i'w magu. Mi wyddem y cymerai flynyddoedd lawer wedyn i ailgodi'r ddiadell, y ddiadell ora oedd gynnon ni, diadell Llyn yr Afon ar y Carneddi.

Na, coeliwch chi fi, doedd yr iawndal gafodd ffermwyr am golli eu hanifeiliaid yn ystod y clwy ddim yn hannar y stori.

Galwad ffôn roddodd wybod i ni fod y clwy wedi cyrraedd Gaerwen, ond diolch i'r drefn fod galwadau ffôn yn dod â mwy o newyddion da nag o newyddion drwg i ni, a galwad felly sy wedi newid fy mywyd i yn y blynyddoedd dwetha 'ma.

8

FFERM FFACTOR

ROEDDWN I'N TRIN defaid ar ffarm Yncyl Teg ym Mhlas Ucha pan ddaeth yr alwad ffôn dyngedfennol. Galwad gan ryw Lowri Evans oedd yn gweithio i Cwmni Da, y cwmni teledu sy â'i bencadlys yng Nghaernarfon. Mi ddwedodd fod y cwmni'n gneud cyfres o raglenni ar gyfar S4C, sef *Fferm Ffactor*, ac mi holodd fydda gen i ddiddordeb mewn cymryd rhan gan fod dau berson wedi awgrymu fy enw. Mi holes i ryw gymaint am y gyfres a meddwl, pam lai, doedd gen i ddim byd i'w golli. *In for a penny, in for a pound*, ynte!

Felly i lawr â fi i Lanelwedd i'r Sioe a chael cyfweliad cyn cinio yng nghanolfan S4C ar faes y Sioe. Dwi'n cofio mai cyn cinio oedd hi gan 'mod i wedi cytuno i gymryd rhan yn rhaglan Dylan Jones, *Taro'r Post*, i drafod rhywbath am hannar dydd. Yno dyma gwrdd â rhyw Neville a Non a chael gwahoddiad i siarad am bum munud amdanaf fi fy hun. Finna'n cymryd deng munud! Wel, be sy'n newydd, dwedwch?!

Rai dyddia'n ddiweddarach mi ddaeth y gwahoddiad i fod yn un o'r deg fydda'n cymryd rhan, ac mi ddaru ni i gyd gwrdd yng ngwesty'r Marine yn Aberystwyth i arwyddo cytundebau a chael mwy o fanylion. Cystadleuaeth oedd hi, *knockout*, ac rydw i'n foi cystadleuol felly roedd hi'n apelio ata i. Roedd y rhan fwya o'r deg fydda'n cymryd rhan yn ddiarth imi ond roeddwn i'n nabod Geraint Siddall o Sir Fôn, wedi cyfarfod Eleri o'r blaen ac wedi gweld Glenda mewn sioeau. O'r cychwyn roeddwn i'n teimlo bod yna ryw gynhesrwydd rhyngon ni fel criw ac, yn wir, felly y buodd hi trwy gydol y gyfres.

Un o'r cwestiyna ofynnwyd i bawb oedd am eu hanes troseddol, rhag ofn bod rhywun peryglus yn ein plith! Mi benderfynais fod yn rhaid i mi ddeud wrthyn nhw am fy ymddangosiad yn Llys y Goron Merthyr, ond doedd neb i'w weld yn malio am hynny. Adra â ni felly, i aros am yr alwad ffôn i ddeud lle a phryd y bydda'r lleoliad ffilmio cynta.

GOSOD GIÂT

Galwad i Lynllifon ger Caernarfon gawson ni ar gyfar y diwrnod cynta o ffilmio. Daloni Metcalfe oedd cyflwynwraig y rhaglan, a Dai Jones a Wynne Jones yn beirniadu. Wnes i ddim gneud ffrind o Dai Jones o'r cychwyn. Y fi a 'ngheg fawr! Doedd trefn ffilmio'r tasgau, gyda llaw, byth yr un fath â threfn eu dangos ar y rhaglenni.

Dydd Sul oedd hi. Roeddwn i wedi bod mewn priodas y diwrnod cynt ac roedd hi wedi mynd yn noson hwyr. Beth bynnag am hynny, dyma hel y criw ohonon ni i stafall yn nhop y tŷ, rhyw stafall gneud panad a ballu. Dyma'r deg ohonon ni fydda'n cymryd rhan felly: tair o ferchaid, sef Morfudd, Glenda ac Eleri, a saith o ddynion, sef Gareth Roberts, Rhys, Aled, Geraint, Rhodri, Cefin a fi.

Roedd y criw teledu yn cadw llygad reit fanwl arnon ni, gan nad oeddan nhw'n siŵr iawn ohonon ni, a ninna'n ceisio busnesu a chael gwybod be oedd y sialensau oedd o'n blaena ni'r diwrnod hwnnw. Ond doeddan ni ddim yn cael gwybod tan y funud ola bob tro. Roedd rhai o'r tasgau ar ein cyfar yn dasgau i ni fel unigolion a rhai yn dasgau tîm. Ymhlith y tasgau unigol roedd ceisio cael mochyn i'r trelar, rhywbath nad oeddwn i wedi'i neud ers ugian mlynadd, rhoi amcan o brisia anifeiliaid ac atab cwestiyna. Mi aeth fy meddwl i'n blanc ar amryw o'r cwestiyna, rhai fel teitl llawn y 'CAP' er enghraifft. Gallwn ddeud 'Common Agricultural Policy' yn fy nghwsg bron iawn, ond mi aeth o fy meddwl yn llwyr yn y sesiwn gwestiyna a gwan iawn oeddwn i, yn annisgwyl felly yn ôl y beirniaid.

Y dasg i dimau o ddau oedd gosod giât, a'r criw teledu oedd yn dewis y timau. Mi ges i fy rhoi efo Aled Rees, yr un enillodd y gystadleuaeth yn y diwadd.

Allan â ni ac yno roedd giatiau pren a pholion a'r tŵls angenrheidiol. Roedd un polyn wedi'i osod ar gyfar pob tîm, a'n tasg ni oedd hongian y giât ar y polyn, gosod y polyn derbyn yn y ddaear a chau'r giât. Dwi'n meddwl mai hannar awr oedd gynnon ni i neud y dasg a Dai Jones oedd yn beirniadu.

Ffwrdd â ni, a rhaid i mi fod yn onast, roedd Aled a fi'n gweithio'n dda efo'n gilydd. A deud y gwir, roedd pawb arall yn gweithio'n dda efo'i gilydd hefyd, ond roeddwn i'n ei gweld hi'n anfantais i'r genod gan nad oeddan nhw cyn gryfed â ni, ac roedd torri twll yn y ddaear ar gyfar y polyn derbyn yn waith anodd gan fod y tir yn garegog. Ond mi lwyddon ni ac wedyn rhaid oedd mesur yn ofalus er mwyn gosod popeth yn ei le ar gyfar hongian y giât ac ar gyfar ei chau.

Yn fuan iawn roedd yr amsar yn dod i ben ac roedd Dai wedi bod yn cerddad rownd yn sbio ar y giatiau ac yn sbio arnon ni wrthi. Roeddwn i'n teimlo ein bod ni wedi cael hwyl dda iawn arni, popeth wedi gweithio'n iawn a'r giât yn hongian yn lefel ac yn cau'n berffaith.

Mi aeth Dai at y giât gynta lle roedd Rhodri a Rhys wedi bod wrthi. Roeddan ni'n medru gweld y giatiau i gyd, ac roeddwn i'n meddwl bod ein giât ni'n sefyll allan yn y ffordd roedd hi wedi'i gosod. Roedd polyn derbyn giât Rhodri a Rhys wedi hollti. Roeddan nhw wedi bwrw'r bachyn yn rhy agos i ochor y polyn ac roedd hollt yn y pren. Mi faswn i'n meddwl bod hynny'n wall go fawr, ond fel roedd Dai yn eu pasio dyma fo'n deud ei fod o'n rhoi'r cynta iddyn nhw. "Dech chi wedi gweithio'n dda efo'ch gilydd,' medda fo, 'ac mae'ch giât chi'n cau'n iawn.'

Roeddwn i wedi clywad hyn ac roeddwn i'n dechra berwi, ond ddwedais i ddim gair. Roedd o'n beirniadu a gneud sylwadau fel roedd o'n dod at bob giât yn ei thro, a'u giât nhw oedd y gynta iddo fo'i gweld.

Mi ddaeth at giât Geraint ac Eleri wedyn. Doeddan nhw ddim wedi cael hwyl dda iawn arni – doedd hi ddim yn cau yn iawn, a'r hyn wnaeth Geraint oedd rhoi darn o linyn amdani a deud, 'Dyna hi, mae hi'n cau 'run fath â giât adra rŵan!' Oedd, roedd Geraint yn uffarn o *star*!

Glenda a Cefin oedd y rhai nesa i gael sylw Dai ac mi ddwedodd eu bod wedi gweithio'n dda fel tîm a rhoi trydydd iddyn nhw.

Dyma fo aton ni wedyn a dyma Daloni yn gofyn iddo fo, 'Sut mae hon?'

'Dowch inni weld,' medda fo. 'Ydi hi'n codi'n weddol, ydi hi'n lefel?' A dyma fo'n sbio. 'Ydi,' medda fo, 'mae hi'n berffaith.'

Mi welodd ei bod yn cau'n iawn hefyd ac mi roddodd ail i ni.

Wel, roeddwn i'n hen geg dwi'n gwybod, a falla y dylswn i fod wedi dysgu ei chau. Dyma Daloni'n deud wrtha i, 'Dwyt ti ddim yn edrych yn hapus iawn.'

'Nac ydw, dydw i ddim. Dwi'n meddwl bod Dai angan sbectol newydd!' medda fi'n hwyliog, ond roeddwn i'n ei feddwl o. Roeddwn i'n teimlo nad oedd giât 'di hollti yn haeddu'n curo ni. Ac mi aeth hi'n dipyn o ddadl, yn ffrae hyd yn oed, a hynny o flaen y camera. Ddaru nhw ddim dangos y cyfan ar y rhaglan chwaith!

Ond roedd Aled o'r un farn â fi gant y cant mai ein giât ni oedd yr ora. A dwi'n siŵr, o hynny ymlaen, na wnes i argraff dda iawn ar Dai achos dwi ddim yn meddwl bod

neb i fod i'w atab o'n ôl ac anghytuno! Ond y ffordd dwi 'di
cael fy nysgu, os dwi'n teimlo rhywbath yna dwi'n 'i ddeud
o. Cofiwch chi, dwi'n anghywir yn reit amal, a dwi wedi
rhoi 'nhroed ynddi sawl gwaith, ond dwi'n teimlo 'mod i'n
iawn ar y pryd a'i bod hi'n iawn i mi ddeud fy neud, nes
'mod i'n cael fy mhrofi yn anghywir!

Ar ddiwadd pob rhaglan roedd pawb yn dod ynghyd ar
gyfar y dyfarniad, sef pwy oedd y creadur anffodus oedd yn
gadael y rhaglan am byth. Mi alwodd Wynne Jones bump
ymlaen a deud eu bod nhw'n saff. Doeddwn i ddim yn un
o'r pump. Yna mi alwodd Dai dri arall ymlaen a deud eu
bod nhwytha'n saff. Doeddwn i ddim yn un o'r tri hynny
chwaith. O diar, roedd petha'n edrych yn ddu. Wedyn
dyma alw Glenda a fi ymlaen a deud mai un ohonon ni
oedd mewn peryg. Wel, roedd fy nghalon i yn fy ngwddw.
Mi allwn fod y cynta i adael y rhaglan, a finna isio ennill!
Wedyn mi ddwedwyd wrthon ni nad oedd neb yn gadael y
rhaglan gynta. Roedd yna ail gynnig i bawb – ond dim ond
ar ddiwadd y rhaglan gynta!

"Dach chi wedi bod yn greulon iawn efo ni,' medda fi.
'Dwi isio mynd adra at Mam a'r wraig!'

Roeddwn i'n saff am y tro, ond os oeddwn i'n un o'r ddau
ola ym mherfformiad y rhaglan gynta, roedd hi'n amlwg y
bydda'n rhaid i mi wella yn y rhaglenni eraill os oeddwn i
am neud sioe go lew ohoni.

RHUG A SIOE CERRIG

Y drefn oedd ein bod yn cael galwad ffôn ryw wythnos
ynghynt i ddeud ble roeddan ni i fod i ffilmio ac i setlo
amseroedd cyrraedd a phetha felly. Y lleoliad ar gyfer yr ail
raglan oedd ffarm yr Arglwydd Newborough, sef Rhug, y
tu allan i Gorwen. Doedd neb wedi mynd allan yn y rownd
gynta, pawb wedi cael pardwn, ac roedd y deg ohonon ni
wedi dod yn eitha ffrindia. Roedd rhai pobol dda ymhlith y

criw teledu hefyd, yn enwedig Lowri oedd yn edrych ar ein hola ni.

Y dasg gynta y tro yma oedd torri hannar oen yn ddarnau i'w gwerthu, ac mi gawson ni ein gwisgo'n briodol gan fod deddfau iechyd a diogelwch yn rhai tyn. Pwy ddaeth trwy'r drws i'n beirniadu ni ond Michael Thomas, a finna'n ei nabod o'n dda, wedi gweithio tipyn efo fo, felly mi gafodd sioc pan welodd o fi. Mae'n amlwg nad oedd o'n gwybod pwy oedd y cystadleuwyr ymlaen llaw.

Gweithio mewn parau roeddan ni, a Rhys oedd fy mhartnar i yn y dasg yma. A deud y gwir, doeddwn i 'rioed wedi torri oen, dim ond gweld fy Yncyl Wil a'r bwtsiar oedd yn torri i ni wrthi. Ond roedd Rhys wedi cael ei ddysgu a dwi'n meddwl inni gael eitha hwyl arni ar ôl i Michael Thomas ddangos i ni sut i neud. Gawson ni dipyn o sbort a thynnu coes efo rhai o'r deg, Rhodri Brynllech yn arbennig, un hwyliog, tipyn o geg fel fi. Roedd o'n gês ar y diawl hefyd a wastad â rhywbath i'w ddeud. Biti iddo fo fynd allan pan aeth o.

Y genod ddaeth allan ohoni ora yn y dasg yma. Dwi'n meddwl eu bod nhw'n canolbwyntio'n well na ni pan ddangosodd Michael Thomas sut i fynd ati. Roedd Aled yn dda hefyd, wedi cael ei hyfforddi mewn sgiliau bwtsiera.

Y dasg nesa, y gynta yn y rhaglan ei hun, a thasg eitha hwyliog, oedd dreifio tractor Massey. Mi ddwedais i nad oeddwn i 'rioed wedi dreifio un, ond mi ddigwyddodd un o'r hogia gael gafael ar fy ffôn a be oedd y llun ar hwnnw ond fi'n eistedd ar dractor Massey! Ces fy nal yn deud celwydd ac mi fuodd yna dipyn o dynnu coes. Roedd perthynas dda rhyngon ni a phawb yn mwynhau cwmni ei gilydd, yn cael hwyl ac yn meithrin cyfeillgarwch. Dyddia cynnar oedd hi a fasach chi ddim yn meddwl ein bod mewn cystadleuaeth yn erbyn ein gilydd o gwbwl.

Dwi ddim yn meddwl bod yr un agosatrwydd wedi bod ymhlith criwiau'r cyfresi eraill – roedd cynhesrwydd arbennig ymhlith criw y gyfres gynta ac rydan ni'n ffrindia byth ers hynny. Dyna'r argraff dwi wedi'i chael wrth edrych ar y ddwy gyfres arall, beth bynnag. Ond falla mai camargraff ydi hi.

Mi aeth tasg y tractor yn weddol dda. Tasg dreifio yn erbyn amsar heb daro'r rhwystrau oedd hi a dim ond un neu ddau fethodd yn y dasg honno.

Wedyn mi gawson ni ein dreifio i'r bync hows – i Domen y Castell y tu allan i'r Bala lle roeddan ni'n aros dros nos, ac wedyn yn y bws mini i Blas yn Dre, y Bala i gael bwyd. Mi gawson ni fwyd ardderchog yno, un o'r pryda gora gawson ni yn ystod y gyfres i gyd. Roedd Rhodri yn nabod y perchennog ac roedd tipyn o hwyl yno. Roedd y criw teledu wedi rhoi camera i ni ac roeddan ni'n trio gostwng y prisia drwy gymryd arnon ein bod yn ffilmio ar gyfar y rhaglan a phetha felly.

Mi aethon ni o gwmpas y dre wedyn ac i'r Plas Coch. Roeddwn i'n siomedig cyn lleied o Gymraeg oeddwn i'n ei glywad o gwmpas y dre, ond falla fod llawer o bobol ar eu gwyliau yno. Mi fuon ni'n canu yn y Plas Coch ac roedd Rhodri, Eleri ac Aled yn gantorion ardderchog.

Gawson ni noson ffantastig 'nôl yn y bync hows efo dwy botal o fodca a lemonêd a chyfle i ganu! Roedd o'n wych. Roedd gan Eleri ac Aled leisia da ac roedd Rhodri yn canu efo Côr Godre'r Aran. Roedd hi rhwng tri a phedwar o'r gloch y bora arnon ni'n mynd i'r gwely – wel, rhai ohonon ni. Mi aeth Aled i'w wely o flaen y rhan fwya a doedd Geraint ddim yn yfed. Byncs go iawn oedd gynnon ni, un ar ben y llall fel ieir, chwech neu saith mewn un stafall. Mi neidiodd un o'r hogia ar ben Aled ac mi aeth hwnnw, dan y pwysa, drwy'r bync nes bod ei din o'n sticio allan a'r slats yn torri efo uffarn o glec. Ond mi gymrodd y peth yn iawn, diolch am hynny, hannar cysgu neu beidio. Mi roeson ni be fedren ni yn ôl a chuddio'r lleill.

Peth gwirion iawn oedd cael noson mor hwyr a ninna efo cystadleuaeth fora trannoeth, er na wyddan ni be oedd hi. Mi gawson ni wybod mai i sioe Cerrigydrudion y byddan ni'n mynd a bod y bws yn cychwyn toc wedi wyth i fynd â ni yno.

Mae sioe Cerrig yn sioe dda ac roedd gen i gof bod yno unwaith pan oeddwn i'n iau. Mi gawson ni gerddad o gwmpas am dipyn a'r criw camera yn ein ffilmio yno. Roeddan ni i gyd yn ein siacedi *Fferm Ffactor*, ac wrth ei fod o'n beth newydd a phawb yn siarad amdano roedd pobol yn dod aton ni am sgwrs. Roeddan ni'n teimlo fel selébs!

Ar dop y cae roedd arwydd mawr 'Fferm Ffactor' a phwy oedd yno ond hogyn o Fethesda, Dafydd Cadwaladr, boi mawr cry dros ei chwe throedfedd, dyn y fwyell, ond lli oedd ganddo fo'r diwrnod hwnnw. Roeddwn i'n nabod Dafydd yn iawn, wedi gweithio llawer efo fo yn y gorffennol, a dyma ofyn iddo be oedd o'n neud yn fan'no, a dwi'n cofio bod ein penna ni i gyd yn thympio ar ôl fodca'r noson cynt.

Roedd llawer o bobol 'di hel o gwmpas i weld be oedd yn digwydd ac mi ddangosodd Dafydd i ni sut i lifio boncyff praff o bren. Wyth eiliad ar hugian gymrodd o ac mi sylwais ei fod o'n defnyddio pob modfedd o'r lli, yn ei gyrru ymlaen i'r pen cyn ei thynnu yn ei ôl. Dyna oedd un o'r rhesymau pam ei fod o mor gyflym yn gneud y gwaith. Sylwais hefyd mai wrth dynnu'r lli tuag ato roedd o'n llifio, nid wrth ei gwthio oddi wrtho.

Hon oedd yr unig dasg lle roeddan ni'n gwybod yn bendant pwy oedd wedi ennill yn y fan a'r lle, gan mai ein hamsar fydda'n penderfynu hynny. Yn y rhan fwya o'r tasgau eraill doeddan ni ddim yn gwybod pwy oedd wedi ennill tan wedyn, ac roedd hynny'n hen deimlad digon annifyr a neb yn gwybod lle roedd o'n sefyll.

Roedd Cefin yn hogyn cry ac mi wnaeth o'r dasg mewn deugian eiliad. Roedd Rhys yn gry hefyd, a Rhodri, ac roedd cryfder yn help mawr. Roedd pawb wrthi o ddifri achos mae pawb yn licio ennill. Mi roddodd Eleri y gora iddi yn y canol. A deud y gwir, roedd y merchaid dan anfantais unwaith eto, ond mi ddaliodd Glenda ati. Roedd 'na dipyn o gyth yn Glenda ac roedd ei gŵr hi, Bryn, a'r hogyn bach yno'n cefnogi, a'r boi bach yn gweiddi i annog ei fam ymlaen. Daeth fy nhwrn i wedyn, a chriw o bobol roeddwn i'n 'u nabod yn gwylio, a dyma fi'n gweiddi, 'Tybad be fasa'r wraig yn ei ddeud tasa hi'n fy ngweld i rŵan, myn dian i!' Mi 'nes i guro Cefin o un eiliad. Dai oedd y beirniad ac mi ddwedodd, 'Gareth Jones 'di'r gora, y dyn sy byth yn stopio siarad a doedd e ddim yn stopio llifio chwaith.' Daloni oedd yn cadw'r sgôr ac yn cyhoeddi pwy oedd wedi ennill. 'Hei,' medda fi wrth Daloni, 'lle mae'n sws i?' Ac mi ges i sws yn y fan a'r lle, yn wobr am ennill, ac roedd y sws ar y rhaglan!

Roedd y diarddel yn dechra o ddifri ar ddiwadd yr ail raglan. Rhodri ac Eleri oedd y ddau mewn peryg, ac Eleri ddewiswyd gan y beirniaid i adael. Biti hefyd, ond dyna oedd y gêm, a *move on* oedd hi i'r gweddill ohonon ni.

YN EWE-PHORIA

Ar ffarm y coleg yn Aberystwyth y cynhaliwyd tasgau'r drydedd raglan, a doedd dim tasgau corfforol trwm y tro hwn: labelu bwydydd anifeiliaid ac amcangyfrif pwysa a phrisia anifeiliaid, yn warthaig a defaid. Ac yna'r dasg ar y stryd yn Aber, sef gwerthu caws. Rhys aeth allan yn y rhaglan yma, gan adael wyth ohonon ni ar ôl.

Mi gynhaliwyd sawl tasg efo defaid yn Ewe-phoria, lle Aled Owen ger Llangwm, ar gyfar y bedwaredd raglan, ac roeddan ni'n aros yng ngwesty'r Owain Glyndŵr yng Nghorwen, gwesty oedd yn cael ei gadw gan Gymro, Ifor Siôn, dyn dymunol dros ben, ac mi gawson ni groeso mawr yno.

Y dasg gynta yn Ewe-phoria oedd nabod bridiau defaid, ac Aled a fi wnaeth sala, rhyw bedwar neu bum marc gawson ni. Mi gafodd Aled fwy o stic na fi am y peth am ei fod o 'di gneud pob tasg arall mor dda. Doeddwn i ddim yn hoffi'r dasg o gwbwl, gorfod nabod rhyw fridiau fel Torwen a Thorddu a bridiau fel'na sy dipyn bach yn anghyffredin, ond mi gafodd Glenda a Gareth Roberts y cwbwl yn iawn.

Roedd y dasg nesa fwy at fy nhast i o lawer, sef cneifio. Mae rhywun yn fwy hapus yn yr hyn mae o'n arfer efo fo, a dwi'n cneifio yn y dull henffasiwn, nid fel y bois 'ma sy'n mynd o gwmpas yn cneifio yn null Awstralia.

Sgotyn oedd y beirniad, Doug Lamby, uffarn o hogyn neis, ac roedd ei wraig Ann efo fo. Hi oedd yn siarad gan ei bod yn Gymraes, merch Ystrad, Llangwm, oedd wedi dod adra efo'i gŵr i ffarmio ar ôl byw yn yr Alban am rai blynyddoedd. Doedd Cefin 'rioed wedi cneifio o'r blaen ond mi wnaeth o job daclus iawn ohoni. Roedd Geraint, ar y llaw arall, yn gneifiwr profiadol iawn ac yn teimlo iddo fo gael cam. Ond doedd o ddim wedi arfer cneifio mewn cystadlaethau ac mi gafodd ei feirniadu am y *double cut*, hynny ydi peidio cneifio at y gnec y tro cynta, ond mynd ati wedyn i dacluso wrth aildorri. Roedd y ddafad yn edrych yn berffaith ond roeddan nhw'n tynnu pwyntiau oddi arno oherwydd y toriad dwbwl. Rhodri Brynllech enillodd a hynny o ddigon, roedd o'n ffantastig ac ymhell ar y blaen i bawb arall. Roedd o wedi cneifio llawer, wedi bod yn mynd allan i gontractio. Rhaid ichi dynnu'ch het i rywun fel fo sy'n gallu gneud tasg fel hyn yn well na chi.

Ar y dydd Sul mi gawson ni'r dasg ola efo'r defaid yn Ewe-phoria cyn dychwelyd i Rhug am y diarddel, a'r dasg ola efo'r defaid oedd didoli, a dyma ddod benben â Dai Jones unwaith eto! Roeddan ni'n gweithio fel dau dîm, yn gosod corlan symudol – Prattley, dyfais o Awstralia – ar ganol y cae ac wedyn yn hel y defaid i mewn a didoli'r rhai

oedd wedi'u nodi. Yn ein tîm ni roeddwn i, Aled, Rhodri a
Morfudd ac fe'm dewiswyd i yn gapten gan y lleill, pawb yn
deud mai fi oedd y geg! Mi ddwedwyd wrthon ni mai'r tîm
fydda'n cwblhau'r dasg yn yr amsar cyflyma fydda'n ennill.
Tasg yn erbyn y cloc oedd hi felly.

Fy ngwaith bob dydd i ydi sortio defaid, eu hel nhw i
mewn a'u trin, dyna dwi'n neud fwya ar y ffarm, ac roeddwn
i wedi hen arfer efo corlannau Prattley. Ffwrdd â ni i'r cae,
felly, a phawb wedi cael ei job, a job Morfudd oedd rheoli'r
ci am ei bod wedi arfer efo cŵn defaid ac am ei bod yn
haws i ni ddynion neud y gwaith codi a gosod.

Mi aeth y tri ohonon ni ati i osod y gêr i fyny a gneud
hynny mewn rhyw bum neu chwe munud, ac wedyn dyma
fi'n troi rownd a gweld bod Morfudd yn cael traffarth.
Doedd y ci ddim yn ymatab iddi o gwbwl, roedd o'n mynnu
blaenu'r defaid waeth be ddwedai hi wrtho fo. Doedd o
ddim yn gwrando ar na llais na chwiban.

Adra, mewn sefyllfa fel yna, be faswn i'n ei neud fasa
clymu cortyn am y ci rhag iddo fo ffwndro petha ymhellach.
Ond doedd dim llinyn ar gael i'w glymu felly be wnes i efo
fo oedd gafael ynddo a'i roi dan fy nghesail, ac mi gawson
ni'r defaid i mewn a'u didoli mewn rhyw dair munud ar
ddeg.

Doeddan ni ddim yn cael gwylio'r tîm arall wrthi gan
nad oeddan nhw wedi cael ein gwylio ni. Ond roedd Dai
yn eu brolio, yn deud eu bod wedi gneud y peth iawn yn
rhoi Gareth Roberts efo'r ci, a bod y ci'n gwrando'n well ar
lais dyn nag ar lais dynas. A deud y gwir, roedd Dai wedi
deud 'mod i'n blentynnaidd yn gafael yn y ci. Wel, y cyfan
ddweda i ydi 'mod i wedi trênio cŵn a delio efo defaid ers
pan oeddwn i'n blentyn. Fi sy wedi dysgu pob ci sy ar y
buarth adra, a dwi 'rioed wedi prynu ci sy wedi'i drênio.
Prynu cŵn felly mae Dai, eu trênio fy hun fydda i! Felly
dwi ddim yn meddwl i mi neud dim byd o'i le efo'r ci, dim

ond gneud yr unig beth allwn i efo fo gan ei fod o'n gyrru'r defaid i bob cyfeiriad.

Mi gafodd Gareth beth traffarth efo'i gi fo hefyd, ond doeddan ni ddim yn gwybod hynny nes gweld y rhaglan, wrth gwrs. Roeddan ni wedi'u curo nhw o funud. Pedair munud ar ddeg oedd eu hamsar nhw, a ninna felly funud yn llai. Fel y dwedais i, roeddan ni wedi cael ar ddallt mai tasg yn erbyn amsar oedd hon, ond erbyn diwadd y gystadleuaeth a'r rhaglan ei hun roedd Dai, er iddo ddeud mai tasg amsar oedd hi i fod, yn gweld y tîm arall wedi gweithio'n dwtiach ac yn well efo'i gilydd, ac iddyn nhw y rhoddwyd y lle blaena. Ond yn fy meddwl i roedd o wedi newid yr amoda i siwtio'i hun.

Yn ôl i Rhug wedyn ar gyfar y diarddel. Roedd yn rhaid cael lle efo dau ddrws mawr yn cau er mwyn i'r diarddel fod yn ddramatig, a'r un oedd yn cael ei ddewis yn cerddad allan fel tasa fo'n mynd allan i'r nos, a'r drysau mawr yn cau ar ei ôl ac yntau'n gadael *Fferm Ffactor* 'am byth'!

Y teimlad ges i wrth neud *Fferm Ffactor* oedd ei bod yn rhyw fath o *rollercoaster* o raglan a bod 'na golled fawr bob tro y bydda rhywun yn gorfod gadael. Cymeriadau bob un. Dyna i chi Eleri, y gynta i fynd, ffantastig o ddynas. Bychan ond galluog, dwi 'di gweld 'i stoc hi ar y ffarm. Dynas fynydd, ac roedd ystod y gwahaniaeth rhyngon ni, o'r bobol odro i bobol mynydd, yn wahaniaeth mawr. Fi ac Eleri, er enghraifft, ddim yn gneud cymaint â hynny o waith tractor. Ond mae anfantais a mantais i bob dim, ac felly roedd hi yn y gystadleuaeth. Chafodd Eleri ddim cyfle i ddangos ei doniau, roedd hi wedi mynd cyn inni gyrraedd at y defaid, ei chryfder hi. Dynas fach agos-atoch chi, yn licio sgwrs. Fasach chi'n meddwl y basa hi wedi ypsetio wrth fod y gynta i adael. Mi ddwedais i wrthi fod yn ddrwg gen i, a medda hi, 'Dwi 'rioed 'di bod mor falch.' Doedd hi ddim yn licio'r camera.

Un siaradus a hwyliog oedd Rhys, yr ail i fynd allan, grêt o foi. Mi aeth o allan yn Aberystwyth. Gwarthaig godro oedd ganddo fo, ac roedd o'n ifanc. Mae'n siŵr ei fod o'n haeddu mynd allan gan na wnaeth o'n dda yn rhai o'r tasgau yn Aberystwyth. Ac eto, roedd colled fawr ar ei ôl o, a rhyw wacter rhyfedd fel bob tro pan fydda rhywun yn mynd. Dwi'n gwybod mai dyna oedd y gêm, ac roeddach chi'n falch bob tro roeddach chi'n dal i mewn, ond roedd colled ar ôl pawb hefyd.

Geraint aeth y tro yma, ac roedd o'n teimlo iddo gael cam. Dwi'n gwybod bod yn rhaid i un ohonon ni adael bob tro, ond roeddwn i'n teimlo hefyd ei fod o wedi cael cam. Roeddwn i wedi dod yn ffrindia efo Geraint, y fo fydda'n dreifio i bobman. Gan ei fod yn dod o Sir Fôn roedd o'n gallu galw amdana i'n amal, a doedd o byth yn yfed chwaith, felly fo fydda'r dreifar gan amla, ac roedd hi'n chwith garw ar ei ôl o.

Y CELTIC ROYAL A GLYNLLIFON

Saith ohonon ni oedd ar ôl erbyn y bumed raglan ac roeddan ni'n aros yn y Celtic Royal, sef Gwesty'r Celt yng Nghaernarfon, ac yn ffilmio yng Nglynllifon unwaith eto. Roedd Eleri, Rhys a Geraint wedi mynd a Morfudd fydda'r nesa. Rhyngddi hi a Glenda roedd hi, ac yn y rhan welson ni ar y rhaglan o'r drafodaeth rhwng y beirniaid roedd Dai yn ffafrio Morfudd a Wynne yn ffafrio Glenda. Morfudd gafodd fynd, sy'n gneud i chi feddwl mai Wynne oedd y prif feirniad neu o leia mai ei air o oedd yn cario os oedd 'na wahaniaeth barn. Roedd Morfudd, fel y gweddill o'r merchaid yn fy meddwl i, dan ryw gymaint o anfantais gan fod rhai o'r tasgau yn gofyn am fôn braich, a'r fantais bryd hynny gynnon ni'r dynion.

Beth bynnag am hynny, roeddan ni wedi bod yn ffilmio trwy'r dydd ar y dydd Sadwrn ac roedd hi wedi mynd yn dipyn o ffrae rhyngddo i a'r boi iechyd a diogelwch. Rasio ar foto-beics roeddan ni, gwibio rownd y trac a chyflawni tasgau, a doeddan ni ddim wedi cael hyfforddiant o gwbwl gan neb na rhybudd mai dyna fyddan ni'n ei neud. Gofynion y dasg oedd gwibio ar y beic i lawr i waelod y cae, bachu trelar, rhoi'r brêc ymlaen a diffodd yr injian cyn llenwi'r trelar efo bêls gwellt ac wedyn dod yn ôl gan fynd rownd y rhwystrau a thros bentwr o goed ac yna bacio i barcio'r trelar mewn lle cyfyng. Tasg yn erbyn y cloc oedd hi ac roedd amsar yn cael ei ychwanegu am bob mistêc, fel taro un o'r rhwystrau, colli un o'r bêls ac yn y blaen. Yr arbenigwr ar gyfar y dasg oedd y dyn iechyd a diogelwch a dwi'n meddwl mai Rhys Owen oedd ei enw fo, a Wynne oedd yn beirniadu. Cymeriad cry oedd o, byth yn deud llawer, ond pan oedd o'n deud rhywbath roeddach chi'n gwrando!

Roeddan ni'n cael ein dreifio o'r Celt i Lynllifon a'n rhoi mewn stafall i aros ein tro. Doedd neb yn gwybod beth oedd y dasg nes y deuai ei dwrn, a doedd y rhai oedd wedi bod o'n blaena ni ddim yn cael dod yn ôl aton ni, rhag ofn i rywun gael mantais annheg ar y lleill.

Roeddwn i'n meddwl 'mod i wedi cael hwyl dda arni, wedi gneud popeth yn iawn a hynny mewn amsar da. Fel roeddwn i'n gyrru at y diwadd roedd tipyn o godiad tir a dyma fi'n sefyll ar fy nhraed ac yn pwyso ymlaen. Dwi wedi arfer ers blynyddoedd efo moto-beic ar bob math o dir, yn enwedig llechweddau'r Carneddi, a phan fydda i'n mynd ar i fyny mi fydda i bob amsar yn sefyll ar fy nhraed ac yn pwyso 'mlaen er mwyn i'r balans fod yn iawn ar y beic. Felly ces i 'nysgu a dyna wnes i yng Nglynllifon. Roedd gneud hynny yn ail natur i mi.

Ar ôl i mi orffan dyma Daloni'n deud wrtha i 'mod i wedi anghofio diffodd yr injian. Damio, oedd, roedd hynny'n wir ac mi gostiodd ddeg eiliad i mi. 'Ac mi wnest ti sefyll i fyny hefyd,' medda Wynne. A dyma fi'n atab mai dyna oeddwn i i fod i'w neud, ond roedd y boi iechyd a diogelwch yn anghytuno ac yn deud nad oeddwn i i neud y fath beth.

'Wyt,' medda fi. 'Blydi hel, mae gen i fwy o brofiad efo moto-beics na neb yma, a hynny ar lechweddau'r Carneddi, lle peryg ar y diawl, a dyna'r ffordd y byddwn ni'n reidio er mwyn bod yn saff.'

'O na, ti ddim i fod i neud hynny,' medda fo, ac mi aeth yn dipyn o ffrae gan 'mod i'n teimlo braidd yn boeth am y peth. Dwi'n meddwl bod Wynne yn gweld y peth fel jôc ond mi ddwedodd Non y cynhyrchydd wrtha i am fynd. 'O, dwi ddim wedi darfod efo chi chwaith,' medda fi wrth y boi. Ond mynd fu raid i mi, wrth gwrs, i stafall at y lleill oedd wedi gorffan y dasg. Doedd y ffrae yna ddim ar y rhaglan!

Mi aeth hi'n dipyn bach o ddadl yn y stafall wedyn, a rhai o'r cystadleuwyr eraill yn deud eu bod nhw, sef y beirniaid, yn siŵr o fod yn iawn ac yn gwybod eu petha.

'Dwi'n deud wrthoch chi,' medda fi. 'Mi fedra i brofi'r pwynt i chi, mae gen i DVD adra efo beic Honda newydd yn dangos yn union sut mae ei reidio fo mewn gwahanol lefydd, ar y gwastad ac ar y llethra.'

Dyma fi'n ffonio Rhian a dyma hi'n deud y basa hi'n dod â'r DVD draw i'r Celtic Royal, ac mi wnaeth hynny.

Pan gyrhaeddon ni'n ôl i'r gwesty, pwy oedd yn eistedd yno yn y cyntedd yn cael cyfweliad efo Radio Cymru ond Dafydd Iwan. Roeddwn i wedi clywad bod parti yno gan Sain, parti i ddathlu deugian mlynadd ers sefydlu'r cwmni yn 1969. Roeddwn i'n nabod Dafydd gan imi ei gyfarfod efo Siân Wheldon pan oeddwn i'n ymladd etholiad i fynd ar y Cyngor. Felly mi es ato pan ges i gyfle, a gofyn iddo fo be oedd y parti oeddan nhw'n ei gael ac a oedd gobaith i ni gael ymuno efo nhw.

Mi ofynnodd faint ohonon ni oedd yna, ac mi ddwedais inna saith.

'Cewch, gewch chi ddod,' medda fo. 'Dewch i mewn yn hwyrach.'

Mi ddwedais ein bod yn mynd i'r Black Boy am fwyd ac y deuen ni'n ôl wedyn.

Felly i fyny â ni i newid a Cefin a fi yn ôl o flaen y lleill – y ddau gynta wrth y bar, a'r ddau ohonon ni'n licio'n peint cyn mynd am fwyd. Lawr i'r Black Boy wedyn, a thrwy fod y sgwrs mor ddifyr yn y fan honno mi aeth yn hannar awr wedi deg neu'n nes at un ar ddeg arnon ni'n mynd yn ôl, ac roedd hi'n tresio bwrw a ninna'n socian yn cyrraedd yn ôl. Dwi'n meddwl i'r rhan fwya ohonon ni fynd i newid cyn mynd i'r parti. At y drws wedyn a deud wrth y boi seciwriti ein bod wedi'n gwahodd. 'Iawn,' medda fo ac i mewn â ni. Ac roedd gwin a bwyd yn dal ar y byrdda.

Roedd pawb mewn hwyliau da, pawb wedi cael llond ei fol o fwyd a diod, a chriwia da yno, llawer o enwau adnabyddus. Wedyn roedd 'na ganu, a boi wrth y meicroffon yn galw rhai i fyny i roi eitem. Roeddan ni i gyd yn gwybod bod gan Aled Rees lais ardderchog achos pan fydden ni'n mynd allan yn griw am noson mi fydden ni'n canu, dyna oedd yn gneud y noson yn un dda.

Dyma fi'n gofyn i Dafydd fasa Aled yn cael canu, ac mi ddwedodd y basa fo, felly dyma fi at y boi ar y llwyfan a deud amdano fo. 'Pwy 'di hwnnw?' medda fo. 'Gei di weld rŵan,' medda fi. A dyma Aled yn dechra canu ac roedd pawb wrth eu boddau. Mi aethon ni i gyd i fyny wedyn a chael hwyl a sbri, ac roedd hi'n ddiawl o noson dda. Hwyl tan berfeddion!

Ond wedyn mi ddaeth bora trannoeth!

Roedd y DVD gen i yn fy llaw pan es i i lawr am frecwast ac at y bwrdd lle roedd Aled a Cefin. A dyma Aled yn deud wrtha i pan welodd o'r DVD, 'Callia, 'dan ni 'di cael noson dda neithiwr. Paid â potsian efo nhw. Anghofia fo, mae o wedi mynd, 'di o ddim yn werth o i godi helynt.'

Ond roedd rhaid i mi fod yn bengalad a deud, 'Na, dwi'n mynd â fo iddyn nhw, er mwyn iddyn nhw gael gweld.' A mynd â fo wnes i. Falla'i fod o'n wirion be wnes i, ond dyma'i roi o iddyn nhw. Mi gaen nhw neud be licien nhw efo fo. Dyna 'nghymeriad i – dwi'n credu, os 'dach chi isio cyflwyno eich dadl, colli neu ennill, rhaid gneud hynny a medru cerddad o sefyllfa a'ch pen yn uchal a theimlo eich bod wedi gneud eich gora ac wedi'i neud o'n onast.

DAI JONES

Pan oeddan ni'n ffilmio yn Llysfasi ar gyfar y chweched raglan roeddan ni'n aros yn y Castle Hotel ar ben dre yn Rhuthun a'r beirniaid, Dai a Wynne, a'r criw teledu yn aros yn y Castell – tipyn o wahaniaeth!

Mi gawson ni alwad ffôn i ddeud bod parti yno, a chan ei bod yn dawel lle roeddan ni a dim i'w neud o gwmpas y dre dyma benderfynu mynd – doedd o ddim yn bell i gerddad. Dyma gyrraedd ac roedd Dai a Wynne yn y cyntedd yn yfed Drambuies.

Mi aethon ni at y bar ond doeddan ni ddim yn cael talu am ddiod, dim ond defnyddio cerdyn credyd y gwesty gan fod y bar wedi cau i'r cyhoedd. Mi ddwedais i hynny wrth Non y cynhyrchydd a dyma Dai, chwara teg iddo fo, yn rhoi ei gerdyn i mi i brynu diod. 'Pryna rownd i bawb,' medda fo. Ac, wna i byth anghofio, mi wnes i hynny ac roedd y bil yn £56!

Roeddan ni i gyd yn eistedd efo'n gilydd yn sgwrsio ac roedd awyrgylch braf yno, pawb mewn hwyliau da a Dai yn siaradus. A dyma fi'n meddwl, tasa fo'n cael un diod arall y basa'i dafod o'n llacio a hwyrach y basa fo'n dechra deud petha wrthon ni am y cystadlaethau oedd i ddod ac y caen ni dipyn o wybodaeth ganddo fo. Felly roedd yn rhaid meddwl sut y gallen ni gael diod arall gan nad oedd modd mynd at y bar a thalu amdano.

Mi ddwedais i wrth Wynne, yn ddigywilydd i gyd, fod Dai wedi prynu diod i ni ac y basa fo'n beth braf iawn tasa'r ddau feirniad yn gneud yr un fath â'i gilydd. 'Dyma chdi, Jones,' medda fo a rhoi ei gerdyn i mi, ac mi 'nes i'r un peth ag efo cerdyn Dai, prynu diod i bawb. Dwi ddim yn meddwl ei fod o cweit mor ddrud yr ail dro, rhyw £45 dwi'n meddwl, gan gynnwys dau Ddrambuie dwbwl i'r beirniaid!

Y diwrnod hwnnw roeddan ni wedi cael cyfweliad gan y ddau feirniad. Roeddan ni wedi bod wrthi ar dasgau eraill hefyd, weldio ac aredig efo ceffylau, ond y dasg anodda oedd cyfweliad efo'r ddau – mae gan ddau fantais dros un bob amsar – lle roeddan nhw'n gofyn pam ein bod ni isio bod ar *Fferm Ffactor*, sut oeddan ni'n meddwl oeddan ni'n gneud a be oeddan ni'n obeithio'i gael allan o'r profiad a phetha felly. Y ddau bob yn ail yn gofyn cwestiyna calad.

Fel arfer dwi reit dda efo fy ngheg a dwi'n meddwl 'mod i'n gallu dal fy nhir yn eitha da. Am wn i i mi neud tipyn bach o argraff ar Dai a Wynne oherwydd hynny. 'Mistar canol y ffordd' oedd Dai yn fy ngalw ac mi wnes i ei ganmol o am ei gyfraniad i amaethyddiaeth. Tipyn o grîp os liciwch chi, ond mae pawb yn licio cael ei ganmol! Mi ofynnodd y ddau feirniad i mi be oedd fy ngwendida ac mi ddwedais 'mod i'n greadur pengalad, penderfynol. Mi ddwedais hefyd i mi ddod i mewn i'r gystadleuaeth yn fi fy hun ac y byddwn yn gadael felly hefyd.

'Mi fyddi di wrth dy fodd os ei di i'r ffeinal,' medda Dai wrtha i yn y Castell.

'Pam 'dach chi'n deud hynny?' medda fi.

'Wel, rwyt ti'n licio siarad a dadlau, a'r dasg ola fydd siarad efo rhywun pwysig iawn i lawr yn y Cynulliad.'

Ddwedodd o ddim rhagor, ond doedd dim rhaid iddo. Roeddwn i bron yn siŵr 'mod i'n gwybod pwy fasa'r person pwysig. Alla fo fod yn neb ond y Gweinidog Amaeth, Elin Jones. Roeddwn i'n iawn hefyd – y hi oedd hi! Ond roedd rhaid cyrraedd y ffeinal yn gynta.

Do, mi gawson ni noson dda y noson honno, un o'r goreuon. Ond roedd sioc yn ein haros ni ar ddiwadd y chweched raglan. Rhwng Glenda a Rhodri oedd hi yn y diarddel a'r pedwar arall ohonon ni, y fi a'r Gareth arall, Cefin ac Aled, yn saff am y tro. Y sioc oedd bod y ddau wedi gorfod mynd, a hynny mae'n debyg am nad oedd neb wedi gorfod mynd ar ddiwadd y rhaglan gynta. Rhaid i mi ddeud bod colled fawr ar ôl y ddau. Hira yn y byd oeddach chi yn y gystadleuaeth, mwya yn y byd o ffrindia oeddach chi'n dod, er mai cystadleuaeth oedd hi. Roedd Rhodri yn gês, yn un hwyliog dros ben, a Glenda yn un benderfynol, yn dal ei thir yn erbyn pawb ac yn gneud ei gora ym mhob tasg.

Chwith ar eu hola nhw – ond roeddwn i'n dal i mewn! Am y tro beth bynnag, a'r gobaith o ennill yn dal yn fyw.

CIC OWT

Roedd pedwar ohonon ni ar ôl, felly, erbyn y lleoliad nesa, i lawr yn y de yn rhywla, dipyn is nag Aberystwyth, a dim ond fi a Gareth Roberts oedd yn aros yn y gwesty dros nos a'r lleill yn teithio yno yn y bora. Ar ôl i Gareth fynd i'w wely gan ei fod o wedi blino, roeddwn i'n sefyll wrth y bar yn siarad efo rhai o'r hogia lleol a be oedd ymlaen ar y teledu ond *Fferm Ffactor*, a dyma un o'r bois oedd wedi fy nabod i wrth weld y rhaglan yn deud wrtha i ein bod ni'n mynd i ffarm i fyny'r lôn drannoeth i ocsiwn, ocsiwn gwydda a bric-a-brac, ac roeddwn i'n meddwl ei fod o'n tynnu 'nghoes i.

Mi ddaeth y lleill yn y bora ac mi fuon ni'n eistedd yn yfed coffi am dros awr a hannar – roedd 'na broblam, ac mi gawson ni wybod nad oedd y dasg, beth bynnag oedd hi i fod, yn mynd i weithio a bod yn rhaid cael tasg arall inni.

Felly yn y man dyma fynd yn ein ceir i gyfeiriad Aberystwyth heb wybod yn union i ble roeddan ni'n mynd, ond doeddan ni ddim ymhell o Lanilar lle mae Dai yn byw. Roeddwn i'n cofio'r lôn honno. Dyma landio mewn cae lle roedd clamp o dractor a pheiriant torri gwrych yn sownd wrtho. Mi wyddan ni wedyn mai torri gwrych a thorri drain oedd y dasg ac mi ddangoswyd inni sut i neud y job. Mi gyflwynwyd y dreifar inni fel John ac wedyn ddaru ni ddallt mai mab Dai Jones oedd o. Roeddwn i'n gweld hynny dipyn bach yn od, bod mab un o'r beirniaid yn cymryd rhan flaenllaw fel hyn. Ond dyna fo, roeddan nhw wedi cael problam ac roedd yn rhaid gneud rhywbath. Ac roedd y boi yn iawn, dim problam o gwbwl efo fo.

Roedd ganddon ni chwartar awr i neud y gwaith ond dwi'n siŵr bod Cefin, y cynta i fynd, wedi gorffan mewn wyth neu naw munud ac mi gafodd o saith marc gan John. Fy nhro finna wedyn, ac mi ges i farc o dri a chael fy meirniadu'n hallt, fy slêtio go iawn a deud y gwir. Wel, doeddwn i 'rioed wedi torri gwrych efo tractor o'r blaen ac mi wnes i dipyn o stomp ohoni ar y dechra, mynd mewn ormod i'r gwrych, ac wedyn gadael rhywfaint o ddrain ar ôl, ond roeddwn i'n meddwl 'mod i wedi cael hwyl weddol arni ac roedd gen i dri neu bedwar munud ar ôl. Ond pan ddwedodd Daloni wrth John mai hwn oedd y tro cynta i mi dorri gwrych efo tractor, mi ychwanegodd o 'A'r tro dwetha gobeithio!'

Gareth Roberts oedd nesa, a dipyn i mewn ac allan o'r gwrych oedd o hefyd. Doeddwn i ddim yn meddwl 'i fod o fawr gwell na fi ac mi redodd o allan o amser, ond mi gafodd chwe marc! Aled oedd y gora o ddigon, roedd o'n ardderchog, wedi arfer ac wedi bod allan yn contractio. Roedd ei waith yn werth ei weld ac mi gafodd naw gan y beirniad.

Wn i ddim, ond taswn i'n feirniad swyddogol mewn cystadleuaeth faswn i byth yn rhoi fy mab fy hun i feirniadu yr un rhan ohoni. Mae'n wir fod yna broblam, ond syniad

Dai oedd o, ac mi dderbyniodd y cyfrynga y syniad heb feddwl ddwywaith er mwyn dod â nhw allan o dwll.

Ffwrdd â ni i ffarm Dai Jones wedyn, a rhaid deud inni gael croeso tywysogaidd ganddo fo ac Olwen ei wraig, a John hefyd, ac roedd pawb ohonon ni'n teimlo'n gartrefol braf yno.

Ond roedd tasg arall yn ein haros, sef beirniadu gwarthaig duon Dai. Roedd o wedi gosod tair mewn trefn ac roedd yn rhaid ceisio cael yr un drefn â fo. A deud y gwir, roeddwn i'n eitha siomedig yn safon y tair buwch. Mi wnes i'r dasg yn weddol a chael lleoliad y gynta yn iawn ond gwahaniaethu rhwng yr ail a'r drydedd, fel y gwnaeth Gareth Roberts ac Aled. Cefin oedd yr unig un i gael y tair yn yr un drefn â Dai.

Roeddwn i erbyn hyn yn cael y teimlad yn gryf fod fy nghyfnod ar *Fferm Ffactor* yn dod i ben, a doedd o ddim yn syndod mawr i mi pan ges i fy niarddel. Rhwng Gareth Roberts a fi oedd hi yn y diwadd, efo Cefin ac Aled yn ddiogel.

Mi faswn i wedi licio cael y cyfle i fynd lawr at Elin Jones i gael sgwrs efo hi a chyflwyno fy syniada iddi, ond nid felly roedd hi i fod. Wnes i ddim meddwl y byddwn i wedi ennill, ond mi fydda hi wedi bod yn braf cael mynd i'r ffeinal. Roedd mynd allan yn deimlad od, yn rhywbath trist a siomedig, oedd, ond roedd yna deimlad o ryddhad hefyd, bod y cyfan ar ben. Ac rydw i'n hapus na wnes i werthu fy hun wrth gymryd rhan, dim ond bod yn fi fy hun. Roedd y cystadleuwyr yn griw ardderchog ac mi wnes i ffrindia da ac mi adewais i'r gystadleuaeth heb golli fy nghymeriad.

Wnaeth bod yn rhan o'r gyfres ddim drwg o gwbwl i mi. Roeddwn i wedi bod ar raglan *Mountain* Griff Rhys Jones a *Big Country*, rhaglan am y Parc Cenedlaethol, o'r blaen a dim wedi digwydd yn dilyn hynny. Ond roedd hon yn wahanol, fel y cawn weld, ac yn ei sgil hi mi ddaeth

Snowdonia 1890 ac wedyn *Countryfile* a *BBC Young Farmer of the Year* a *Wales in Four Seasons*, a'r cyfan yn tyfu fel caseg eira. Mae'n iawn i mi ddeud nad ydw i wedi mynd ar ôl neb 'rioed i gael bod ar yr un rhaglan, y nhw sy wedi dod ar fy ôl i, ac mae gen i le mawr i ddiolch i *Fferm Ffactor*.

9

SNOWDONIA 1890

IE, GALWADAU FFÔN a chysylltiadau pobol â'i gilydd – dau beth sy'n gallu effeithio'n fawr ar fywyd. Ar fy mywyd i, beth bynnag! A dyna arweiniodd at fy rhan yn y gyfres *Snowdonia 1890*.

Mi fydd y rhai ohonoch chi welodd y rhaglenni ar BBC1 yn cofio mai cyfres oedd hi'n dilyn hynt a helynt dau deulu wrth iddyn nhw ail-fyw amgylchiadau 1890 yn ucheldir digroeso a didostur gogledd Cymru.

Daeth yr alwad ffôn gan ferch o'r enw Lowri Jones, a'r cysylltiad oedd y ffaith ei bod hi'n ffrindia coleg efo Lowri arall, sef Lowri Evans, ymchwilydd *Fferm Ffactor*. Roedd un Lowri wedi ffonio'r llall i ddeud ei bod yn edrych am fugail neu ffarmwr ar gyfar y gyfres *Snowdonia 1890* ac yn gofyn iddi oedd ganddi awgrym. Mi atebodd y llall fod ganddi, sef fi, ac mi roddodd fy rhif ffôn iddi.

Mi ddwedodd Lowri Jones ryw gymaint am y rhaglan wrtha i a'm gwahodd i Galeri Caernarfon am gyfweliad. Roedd angan nifer o bobol arnyn nhw – gweinidog, athro ysgol, cipar, athrawas ysgol Sul, cigydd, siopwr, chwarelwyr a ffarmwr oedd hefyd yn fugail!

Roedd tri yn cyfweld yn Galeri, dwy ferch, Siân Price a Vicky Rogers, ac un dyn. Dwi'n cofio enwau'r merchaid ond nid y dyn, er mai fo oedd yn holi fwya! Cyfweliad Saesneg oedd o ac roedd y cyfan yn cael ei ffilmio.

Fe'm holwyd am fy ffarm a'm gwaith arni a be roeddwn

i'n ei feddwl o'r syniad am y gyfres. Mi ddwedwyd wrtha i
y bydda fy angan am bum diwrnod o ffilmio ac mi gefais
y dyddiada ganddyn nhw. Roedd o'n fy siwtio i'n iawn
– pum diwrnod cyn cyfnod wyna, ac roeddwn i'n teimlo
hefyd fod y cyfweliad wedi mynd yn eitha da. Roedd yr
arian a gynigiwyd yn reit dda hefyd, ac roedd hynny'n
help!

Dyma'r dyn yn gofyn i mi, fel ei gwestiwn ola, be
oeddwn i'n feddwl fydda fy anfantais benna i tasan nhw'n
cynnig i mi fod yn ffarmwr yn 1890. Doedd ganddo ddim
gwên ar ei wynab, ond dyma fi'n mentro atab fel jôc, 'I
think I'm too good-looking for the job!' Mi fu bron i'r ddwy
hogan ddisgyn oddi ar eu cadeiria, ond doedd dim gwên
ar wynab y dyn, a finna'n cicio fy hun am fod mor blydi
gwirion ag agor fy hen geg ar ôl gneud cyfweliad da. Dyna
fy ngheg wedi colli job i mi, medda fi wrthyf fy hun.

Mi ddwedwyd y bydden nhw mewn cysylltiad cyn
diwadd yr wythnos ac felly adra â fi'n meddwl yn siŵr
nad oeddwn i wedi cael y job. Mi ofynnodd Rhian sut aeth
hi ac mi ddwedais inna'n union be ddigwyddodd. Roedd
hi'n flin ond mae hi'n gwybod mai un fel yna ydw i a fedra
i ddim newid 'y nghymeriad!

Ymhen wythnos dyma alwad ffôn gan Lowri yn cynnig
y rhan i mi, ac mi dderbyniais inna. Mi fuo'n rhaid iddyn
nhw gael fy mesuriada er mwyn cael dillad y cyfnod
ar fy nghyfar cyn mynd i gyfarfod y cynhyrchydd, Ceri
Rowlands, ar seit y cwmni teledu yn ucheldir Rhosgadfan.
Diwrnod ffitio'r dillad oedd y diwrnod cyn dechra ffilmio.
Roedd pob dilledyn yn perthyn i'r cyfnod – y fest, y crys
a'r siaced hyd at y gôt, y belt lledar, y legins a'r cap – ac
roeddwn i'n teimlo fel nionyn ar ôl gwisgo'r cyfan.

Yna i fyny â ni at y ddau fwthyn, un oedd yno ers cyfnod
y rhaglan, sef diwadd y bedwaredd ganrif ar bymthag, ac
un arall oedd wedi'i adeiladu o bren a sgaffaldia. Roeddan

nhw wedi gneud gwaith anhygoel arno fo a doedd dim modd deud y gwahaniaeth rhwng y ddau.

Mi ddwedwyd hefyd fod y gwarthaig yn dod o Gaer y diwrnod hwnnw, sef y dydd Sadwrn, dwy fuwch fyrgorn, ac roedd yn rhaid i mi aros iddyn nhw gyrraedd er mwyn gneud yn siŵr fod y lle'n iawn ar eu cyfar ac er mwyn eu godro, gan nad oedd y teuluoedd yn cyrraedd tan y dydd Sul.

Doedd y ffarmwr ddim yn hapus iawn efo'r sied a'r lle i glymu'r gwarthaig. Mi ddwedais wrtho fo y baswn i'n delio efo hynny ac mi rois i 'ngair iddo fo y baswn i'n edrych ar eu hola fel tasan nhw'n warthaig i mi. A dwi'n credu, pan mae rhywun yn rhoi ei air, bod yn rhaid ei gadw.

Roedd Rhys Owen, pennaeth amaeth y Parc a ffrind mawr i mi, wedi dod i fy helpu ac mi aethon ni ati i odro'r gwarthaig cyn mynd adra. Adeilad y clwb pêl-droed lleol, Mountain Rangers, oedd ein canolfan ac roedd lori *artic* fawr yno i gadw'r dillad a darpariaeth ar gyfar gneud bwyd. Roedd dros ddeg ar hugian o bobol yno i gyd, ac yn mynd i fod yno am dair wythnos. Roedd y lle fel pentra bychan.

Drannoeth, a hitha'n fora Sul, mi es draw efo Rhys i odro'r gwarthaig eto ac roedd BBC Productions wedi cyrraedd. Cwmni Indus oedd yn gneud y rhaglenni ond BBC Productions oedd yn ffilmio ar gyfar yr holl hysbysebu. Roedd y ddau gwmni fy angan i ar yr un pryd. Mi aeth y BBC ati i dynnu lluniau ar gyfar yr hysbysebu, a rhai da oeddan nhw hefyd. Ond ar ganol y tynnu lluniau dyma alwad gan Indus i ddeud bod fy angan ar y seit gan fod y teuluoedd ar y ffordd i fyny. Mi aeth hi'n andros o row rhwng Libby, dynas y BBC, a Vicky oedd efo Indus, row amdana i, a finna yn y canol yn cael hwyl am eu penna nhw. Dwi 'rioed wedi cael y profiad o ddwy ferch yn cwffio amdana i o'r blaen!

Y cyfan oedd Indus isio i mi ei neud oedd sefyll fel

silowét ar ben y mynydd yn fy rigowt bugail yn gwylio'r teuluoedd yn dod i fyny at y tai mewn ceffyl a chert. Roedd dau gamera'n ffilmio'r cyfan ac mi fues i yno'n sefyll am dros awr nes bod fy ngwefusa i'n las.

Wedyn i lawr â fi i gael fy nghyflwyno i'r teuluoedd gan mai fi oedd y ffarmwr drws nesa ac mai fi fasa'n helpu'r gwragadd os bydda traffarth efo'r defaid neu'r gwarthaig pan fydda eu gwŷr yn gweithio yn y chwaral.

Roedd y cyflwyno i gyd yn cael ei ffilmio a doedd gen i ddim sgript. Y cyfan ges i oedd syniadau be i'w ddeud – roeddan nhw isio i'r cyfan fod mor naturiol â phosib.

Ffwrdd â fi, felly, i gyfarfod â'r teulu cynta, y Braddocks. Roedd camerâu ac offer o bob math ym mhobman, ac roedd yn rhaid trio anghofio amdanyn nhw a'u hanwybyddu, ond doedd hynny ddim yn hawdd.

Roedd y teulu yn sefyll yn nrws eu tŷ a dyma fi atyn nhw.

'Sut 'dach chi?' medda fi, gan feddwl yn siŵr mai Cymry Cymraeg fasa'r teuluoedd i gyd yn y rhan honno o'r wlad yn niwadd y bedwaredd ganrif ar bymthag. Ond rhai di-Gymraeg oedd y rhain ac felly roedd yn rhaid troi i'r Saesneg.

Teulu o'r Fenni oeddan nhw, y Braddocks. Mark ac Alisa oedd y rhieni ac roedd ganddyn nhw bedwar o blant – Jamie oedd yn bedair ar bymthag, Jordan oedd yn un ar bymthag, Tommy yn dair ar ddeg a Leah yn naw. Cymry Cymraeg o Ddinbych oedd y teulu arall, y Jonsus. David a Catrin oedd y rhieni, David yn dwrna a Catrin yn swyddog tribiwnlys, ac roedd ganddyn nhw dri o blant, Ben oedd yn ddeunaw, Ela yn un ar ddeg a Jac yn naw.

Doedd yna fawr o amsar i ddod i nabod y teuluoedd gan fod yn rhaid mynd ati i odro'r gwarthaig efo nhw. Ond mi ges i'r argraff fod Alisa Braddocks, a hitha'n ddynas olygus, yn berson fflyrtiog, yn licio dynion ac yn gwybod sut i gael ei ffordd ei hun efo nhw. Athrawas mewn ysgol ddrama oedd hi ac roedd hi wrth ei bodd yn actio. Mecanic yn gweithio i'r gwasanaeth ambiwlans oedd ei gŵr a doedd yr un o'r ddau na'u plant yn gwybod dim am ffarmio. Roedd tipyn o gymysgedd yn y teulu: mab i Mark ond nid i Alisa oedd Jamie, a mab i Alisa ond nid i Mark oedd Jordan, a doedd o ddim yn byw efo'r teulu adra.

Mi ddois i ddeall yn fuan iawn nad oedd gan Jamie fawr o ddiddordeb yn yr holl beth. Teulu wedi cael eu tynnu at ei gilydd er mwyn gneud y rhaglan oeddan nhw, ac roedd tensiynau rhwng y gwahanol aelodau – oedd yn ardderchog ar gyfar y teledu, wrth gwrs.

Doedd gan neb fawr o glem am odro ar y dechra. Y merchaid oedd wrthi, ac roedd Catrin Jones yn trio'i gora ac yn awyddus i ddysgu, fel yn wir roedd David ei gŵr. Roedd Ela yn trio helpu'i mam ac mi symudodd y bwced oedd yn hannar llawn o laeth nes ei bod o fewn cyrraedd troed y fuwch ac mi giciodd honno'r bwced nes bod y llaeth wedi'i golli dros bob man. Dyma'r fam yn deud rhywbath reit siort wrth Ela a dyna hi'n helynt. Roedd hi'n *taps on* yn syth a hitha'n beichio crio ac mi feddyliais i mi fy hun, dyma gychwyn da i'r gyfres, achos wrth gwrs roedd y camerâu yn ffilmio pob dim.

Ond chwara teg, mi lwyddwyd i orffan y godro gan y ddau deulu ac felly adra â fi yn teimlo'n weddol hapus fod y diwrnod wedi mynd yn o lew.

Bora trannoeth, bora Llun, yn ôl â fi i helpu efo'r godro eto, a chwara teg roeddan nhw'n llwyddo'n eitha da. Wedyn i lawr i'r seit â fi i newid ac i'r swyddfa cyn mynd adra. Dyma Ceri Rowlands, y cynhyrchydd, yn gofyn i mi sut oeddan nhw'n dod ymlaen, a finna'n canmol y teuluoedd wrthi. Ond mi ddwedodd wrtha i am beidio helpu cymaint arnyn nhw, dim ond gadael iddyn nhw stryglo a gneud eu camgymeriadau eu hunain.

Doeddwn i ddim yn siŵr iawn sut i gymryd hynny ar y dechra, ond wedi meddwl roeddwn i'n gweld y pwynt. Cyfres o raglenni yn darlunio sut fydda'r ddau deulu'n ymdopi efo amgylchiadau'r hen oes oedd hi a dim ond yno i helpu ac i roi cefnogaeth oeddwn i, nid i neud petha yn eu lle nhw.

Beth bynnag, mi es adra, ac am hannar awr wedi chwech y noson honno dyma alwad ffôn yn gofyn i mi fynd draw ar unwaith gan fod problam. A deud y gwir, roeddwn i wedi blino braidd yn rhedag 'nôl a 'mlaen a gweithio adra ar y ffarm. Roedd hi'n bedwar deg milltir o siwrna o Lanfairfechan i dopia Rhosgadfan. Beth bynnag, dyma fynd, newid i ddillad y cyfnod ac i fyny efo un o'r *runners* i weld be oedd yn bod.

At y gwarthaig â ni'n syth, a sôn am lanast. Doedd neb wedi carthu ac roedd cachu gwarthaig ym mhobman. Mi ddwedais wrthyn nhw, os oeddan nhw isio cadw'r buchod yn iach rhag iddyn nhw gael masteitis, bod yn rhaid eu cadw'n lân a charthu. Roedd y ddwy fuwch wedi bod yn yr un cwt drwy'r dydd ac roeddan nhw wedi baeddu, fel y bydd gwarthaig. Roeddwn i wedi drymio pwysigrwydd glendid i'r ddau deulu ond doeddan nhw ddim wedi cymryd unrhyw sylw.

Mi rois i row i Catrin ond doedd hi ddim yn ei chymryd yn dda iawn, ac i neud petha'n waeth mi safodd y fuwch ar ei throed hi. Roedd y straen yn dechra deud yn barod ac mi dorrodd i lawr. Ond chwara teg iddi, mi aeth at y Braddocks a deud wrthyn nhw ei bod wedi cael bolocing gen i am beidio cadw'r gwarthaig yn lân.

Mei oedd y boi camera ac roedd o'n gwybod 'mod i'n flin, ac mi welodd ei gyfle. Dyma fo'n gofyn i mi neud cyfweliad ac roedd hwnnw ar y rhaglan, efo fi'n pwysleisio bod yn rhaid iddyn nhw gyd-dynnu a gneud petha'n iawn os oeddan nhw am fedru aros yno am y cyfnod llawn. A dyna oedd diwadd y rhaglan gynta, fi'n deud wrthyn nhw os oeddan nhw am oroesi ar y mynydd fod yn rhaid iddyn nhw gydweithio. Doeddwn i ddim yn ei neud o er mwyn y teledu – roeddwn i'n blydi blin efo nhw am fy llusgo i 'nôl a blaen fel io-io.

Doeddan nhw mo fy angan i ddydd Mawrth felly roedd cyfle i neud tipyn o waith adra. Ond fin nos dyma alwad wedyn – doedd y Braddocks ddim wedi godro! Roeddwn i'n dechra meddwl tybad oedd y bobol 'ma'n gwrando arna i neu oeddwn i'n siarad efo fi fy hun. Roeddwn i'n wirioneddol flin, felly dyma neidio i'r car a ffwrdd â fi ac i mewn i'r swyddfa a deud wrthyn nhw yn y fan honno 'mod i wedi rhoi 'ngair i berchennog y gwarthaig y baswn i'n sicrhau na fydda dim byd yn digwydd iddyn nhw.

Beth bynnag, i fyny â fi at y teuluoedd ac roedd y Jonsus wrthi'n godro a phopeth i'w weld yn iawn. Gweld buwch y Braddocks wedyn, ac roedd y fuwch honno wedi cachu yn y gasgen ddŵr. Roedd y dŵr yn fudur a doedd dim gwair yno. Mi es i'r tŷ atyn nhw ac roedd pawb rownd y bwrdd yn bwyta.

Roeddwn i wedi gwylltio a dyma fwrw iddyn nhw a deud na allen nhw fyw fel hyn ar y mynydd. Mi gododd Alisa oddi wrth y bwrdd ac mi aeth allan yn crio. Mi es i ar ei hôl hi a deud wrthi nad oedd bwrpas iddi grio efo fi, bod isio iddi gael y plant i helpu, i nôl dŵr ac i nôl gwair ac ati. Mi ddwedais wrthyn nhw bod yn rhaid godro cyn bwyta, mai'r fuwch oedd yn bwysig nid y nhw a bod ganddyn nhw trwy'r min nos wedyn i lenwi eu bolia.

Dyma'r gŵr yn dechra sgwario ac roedd o'n edrych fel tasa fo am 'mosod arna i. Doeddwn i ddim wedi deall ei fod o'n dipyn o foi. Wel, mi fasa'n rhaid iddo fod y noson honno achos roeddwn i wedi gwylltio go iawn. Chwara teg, mi gŵliodd ac mi wnaed y godro. Ond doedd ganddyn nhw ddim diddordeb, roeddan nhw'n rhoi'r bai ar y fuwch am bopeth. Doedd ganddi hi mo'r help! Roedd ei thethi hi'n dendar. Doeddan nhw ddim yn deall, er 'mod i wedi deud wrthyn nhw mor bwysig oedd godro yr un amsar bob dydd ac mor bwysig oedd sicrhau bod 'na ddŵr glân iddi. Ond roedd o'n deulu efo lot o densiwn ynddo fo, tra bod y teulu arall yn iawn, yn deulu cry ac yn cyd-dynnu.

Drannoeth, dydd Merchar, roedd isio hel y defaid i mewn i'w marcio, a dyna beth oedd sbloet! Chwe dafad bob un oedd ganddyn nhw a fasa fo ddim ond wedi cymryd 'chydig funuda i fi efo'r ci, ond roedd y teledu isio iddyn nhw neud y gwaith eu hunain wrth gwrs. Wel, sôn am redag i bob cyfeiriad, sef y defaid yn wyllt a finna'n deud wrthyn nhw eu bod yn drymion efo ŵyn. Defaid Glenda fu ar *Fferm Ffactor* oeddan nhw ac roeddwn i wedi deud wrthi hitha y baswn i'n cadw llygad arnyn nhw iddi.

Doedd dim trefn, doedd y plant ddim yn y llefydd iawn ac roedd Jamie fel mul, yn sefyll yn gneud dim byd. Ond yn y diwadd mi gafwyd pawb i gydweithio ac mi lwyddwyd i'w cael i mewn i'r cwt. Ond roedd pobol y teledu wedi cael be oeddan nhw isio, y defaid yn wyllt ac yn mynd dros ben cloddia a ballu!

Roedd y plant wrth eu boddau wedyn yn trin y defaid ac yn edrych yn eu cegau ac ati, ac adra â fi gan feddwl bod y diwrnod drosodd. Ond dyma alwad arall. Y Braddocks ddim wedi godro!

Dyma droi ar fy sawdl ac yn ôl â fi. Roedd y fuwch yn edrych yn iawn, roedd ganddi ddŵr glân a gwair, ond, wrth gwrs, doedd hi ddim wedi'i godro. Roedd hi'n ddiwrnod gwlyb, annifyr a phan es i i'r tŷ dyma nhw'n deud eu bod ar fin mynd i odro. Mi ddwedais wrthyn nhw am fynd y funud honno ac na fyddwn i'n dod i fyny eto os oedd trafferthion efo nhw. Os bydda unrhyw beth yn digwydd, wel arnyn nhw y bydda'r bai, a nhw fydda'n gorfod wynebu'r canlyniadau.

Wel, mi sinciodd fy ngeiria yn eu penna o'r diwadd,

wn i ddim ai fy mygythiad na fyddwn yn dod i fyny i'w cynorthwyo wnaeth y tric 'ta be, ond fu dim traffarth efo nhw wedyn am weddill y tair wythnos, dim ond efo un ohonyn nhw ar y cae pêl-droed.

Yn ystod ffilmio'r gyfres mi ffoniodd Lowri i ddeud bod gêm bêl-droed yn cael ei threfnu ar gyfar y rhaglan a gofyn faswn i'n fodlon chwara. Doeddwn i ddim wedi chwara ers blynyddoedd ac roeddwn i'n tynnu ar fy nhin braidd, ond mi ddwedodd hi fod Alun, boi'r chwaral a'r un oedd yn gipar yn y gyfres, yn fodlon ei mentro hi. Dyma gytuno felly, ond wnaeth y cipar ddim troi i fyny – call ar y diawl.

Roeddan ni a'r ddau deulu yn chwara yn erbyn tîm lleol Mountain Rangers. Mi gawson ni'r dillad, neu'r togs, yn union fel roeddan nhw yn y cyfnod hwnnw, a'r shorts i lawr ymhell o dan ein pengliniau. Roedd golwg uffernol arnon ni. Roedd tîm Mountain Rangers i gyd yn Gymry Cymraeg lleol ac yn hogia mawr, tyff ac roeddan ni un yn fyr am nad oedd y cipar wedi troi i fyny. Mi gawson ni un o'u chwaraewrs gora nhw i chwara efo ni – Benji, tipyn o seren. Roedd y reffarî yn foi neis ond doedd ganddo ddim syniad be oedd o'i flaen o y diwrnod hwnnw.

Mi ddaeth y teuluoedd ac roedd y plant yn edrych ymlaen gan ei fod yn dipyn o newid o'r hyn roeddan nhw'n gorfod ei neud weddill yr amsar. Mi gafwyd ar ddeall bod Jamie yn *semi-professional* ac wedi chwara lot o bêl-droed tra bod Ben yn chwaraewr rygbi. Ond roedd pawb yn awyddus i roi trei arni ac i gael hwyl a sbri.

Dyma ddechra'r gêm ac roedd Mark, tad y Braddocks, fel rhywbath ddim yn gall o'r dechra un, yn rhuthro ac yn taclo'n fudur, fel tasa fo'n cael pob dim allan o'i system. Ond doedd o ddim yn cael gneud fel licia fo efo'r hogia lleol. Roeddan nhw ar ei gyfar o, ond mi aeth hi'n ffeit, yn ffeit go iawn, a Jamie'n trio'u stopio nhw. Mi gafodd

Mark ei yrru oddi ar y cae, ond mi gafodd ddod yn ei ôl yn y man, ac roedd o'n waeth wedyn os rhywbath, yn mynd ar ôl yr un boi o dîm Mountain Rangers. Roeddach chi'n teimlo'r tensiwn mewn gêm oedd i fod yn gêm gyfeillgar! Roedd hi'n cael ei ffilmio ac roedd tipyn bach o hyn i'w weld ar y rhaglan. Tipyn o hwyl oedd hi i fod, a hwn yn difetha'r cyfan. Mi gafodd Jamie gic yn ei ben-glin nes ei fod o'n methu cerddad bron ac mi ges i gic yng ngwaelod boch fy nhin nes bod 'y nghoes i o'r top i'r gwaelod yn ddu bitsh erbyn bora trannoeth.

Mi aeth y cyfan yn dipyn o shambyls ac roedd gan bawb o deulu'r Braddocks gywilydd o Mark. Ond dwi'n meddwl bod 'na gymaint o densiwn o fewn y teulu fel ei fod o'n cael gwared â'r tensiwn hwnnw drwy fod fel anifail gwyllt ar y cae pêl-droed.

Ar y dydd Sadwrn ola, efo diwrnod yn unig o ffilmio ar ôl, mi aethon ni i gyd i'r capel. Dydd Sul oedd hi ar y rhaglan ond ar y dydd Sadwrn y recordiwyd y gwasanaeth gyda Marcus Robinson, tipyn o gês, yn pregethu. Fo oedd y gweinidog ar y rhaglan ac roedd o'n weinidog go iawn yn Llanrug. Roeddwn i yn fy siwt dydd Sul a top hat ac wedi'r gwasanaeth mi aeth y teuluoedd yn eu hola i'w tai ac mi es inna bob yn dipyn i lawr i'r seit i newid.

Yn y man dyma sylwi ar helicopter yn cylchu o gwmpas y mynyddoedd ond wnes i ddim meddwl mwy am y peth, roedd o'n rhywbath fydda'n digwydd yn amal yn y mynyddoedd. Ond pan oeddwn i ar fin tynnu fy siwt dyma'r car 'ma'n dod i lawr ar ufflon o sbîd. Eleri, un o'r *runners*, oedd ynddo. Pan welodd hi fi mi waeddodd arna i.

'Tyrd, tyrd, rŵan hyn.'

'Be sy'n bod?'

'Mae buwch 'di brifo Ben.'

'Ydi o'n iawn?'

"Dan ni ddim yn gwbod. Mae o ar wastad ei gefn yn y beudy.'

I fyny â ni. Roedd y criw teledu wedi galw'r ambiwlans awyr ac roedd o'n dal i gylchu uwchben a'r hogyn yn gorwedd ynghanol y tail gwarthaig pan gyrhaeddais i'r beudy, a'r buchod wedi'u hel allan. Roedd o'n gorwedd yn llonydd ac yn llwyd a phawb ofn ei symud rhag ofn ei fod wedi brifo'i gefn.

Y drefn oedd bod y ddwy fuwch yn cael eu godro y tu allan ac wedyn yn cael eu rhwymo yn y beudy. Ond be ddigwyddodd oedd bod Mark Braddocks heb rwymo'i fuwch yn iawn ar ôl ei godro. Roedd Ben i mewn yn y beudy ac mi geisiodd y fuwch fynd allan at y llall, ac wrth neud hynny mi wasgodd hi Ben yn erbyn pilar y drws.

Roedd yn rhaid dal y gwarthaig gan fod yr helicopter ar fin glanio. Roeddwn i'n dal yn fy siwt capel a'm sgidia rhech ac roedd y gwarthaig yn wyllt, ond roedd yn rhaid ceisio'u rheoli.

Mi ddaeth y paramedics a dechra trin Ben, ac roedd Catrin wedi ypsetio – wel, roeddan ni i gyd wedi ypsetio achos wyddan ni ddim pa mor ddrwg oedd Ben. Mi ddwedodd Catrin na alla hi feddwl am odro'r gwarthaig wedyn, a gan nad oedd ond diwrnod arall i fynd mi awgrymais mai yn ôl at eu perchennog y dylen nhw fynd. Doedd dim i'w golli wrth neud hynny. Roedd y ddau deulu wedi llwyddo i'w sticio hi am y tair wythnos a phobol tre oeddan nhw wedi'r cyfan, ac roeddan nhw wedi cael amsar calad.

Mi aed â Ben i Ysbyty Gwynedd a'i gadw i mewn dros nos. Ond doedd o ddim wedi torri asgwrn – wedi cael ei wasgu roedd o a'i gleisio'n ddrwg, ac roedd o mewn poen. Ond mi ddaeth yn ei ôl am y diwrnod ola i orffan y rhaglan.

Fisoedd yn ddiweddarach, yn yr hydref, cafodd Rhian a fi ein gwadd i Seiont Manor i dderbyniad – digon o fwyd a diod a'r hyn yr oeddan nhw'n ei alw'n *screening* a ninna'n cael cyfle i weld rhannau o'r rhaglenni. Y peth cynta welais i pan gerddais i i mewn i'r gwesty oedd postar mawr ohono i wedi fy ngwisgo fel bugail. Roedd o'n llun da a dyna'r tro cynta i mi ei weld.

Mi fues i'n gneud llawer o gyfweliadau wedyn ac mi ymddangosodd fy llun efo erthygl yn y *Daily Post* a'r *Western Mail* wrth iddyn nhw roi cyhoeddusrwydd i'r gyfres cyn iddi gael ei dangos.

Drwodd â ni wedyn i weld clipiau o'r rhaglenni, nid y rhaglenni i gyd, ac roedd y *bigwigs* i gyd yno, Hywel Williams yr Aelod Seneddol a phobol bwysig y BBC.

Pan aethon ni i'r bar dyma'r ddynas ddiarth 'ma oedd yn siarad efo Paul Islwyn Thomas, un o berchnogion Indus, yn dod ata i a deud yn Saesneg ei bod wedi gweld llawer ohona i. Erbyn deall, hi oedd y golygydd ac roedd hi'n gorfod mynd trwy'r cyfan oedd wedi'i recordio er mwyn dewis a dethol be oedd i'w ddangos.

Dyma Paul yn gofyn i mi oedd gen i awgrymiadau am y gyfres a dyma fi'n deud y dylen nhw, tasan nhw'n gneud y rhaglan eto, gael y teuluoedd i mewn ddeuddydd ynghynt er mwyn iddyn nhw gyfarwyddo efo'r godro a thrin yr anifeiliaid ac ati.

A dyma'r golygydd yn troi at Paul a deud:

'But that wouldn't be good TV, would it?'

Ac medda finna:

'Now I know how ruthless you are,' gan mai meddwl am les yr anifeiliaid oeddwn i.

Ond roedd o'n wir, on'd oedd? Rhaglenni da oeddan nhw isio, a fasan nhw ddim yn rhaglenni da tasa popeth wedi mynd yn esmwyth heb ddim trafferthion o gwbwl.

Un peth da am y gyfres oedd cael cyfarfod pobol newydd a gneud ffrindia newydd, fel Derek ac Ann, y ddau oedd yn gyfrifol am dîm pêl-droed Mountain Rangers, a'r teulu oedd wrth gefn ar gyfar y rhaglenni rhag ofn i un o'r ddau deulu adael cyn y diwadd. Jonathan a Lisa Fearne o Gaerfyrddin oeddan nhw ac mi fuon ni'n aros efo nhw pan oedd Eisteddfod yr Urdd yn y dre honno.

Mi fwynheais fy hun – doedd dim pwysa arna i ac roedd y criw yn griw da a llawer ohonyn nhw'n Gymry Cymraeg. A dwi'n gobeithio imi ddod drosodd yn o lew, er bod llawer un wedi deud wrtha i ar ôl y gyfres, 'Ew, rwyt ti'n hen uffarn blin!' Ond dwi'n meddwl 'i fod o wedi gneud lles i ffermwyr yn gyffredinol, er mwyn i bobol eraill gael syniad be 'dan ni'n neud. 'Dan ni'n dal i neud llawer o'r petha roedd pobol yn eu gneud yr adeg honno, dim ond bod gynnon ni olau trydan a llawer mwy o gyfleusterau nag oedd yna bryd hynny.

10

LLANFAIRFECHAN A'I PHOBOL

DWI WEDI BYW yn Llanfairfechan 'rioed, ac yma y bydda i. Dwi ar y cyngor ers pedair blynedd ac mae tynnu sylw at y dre a denu ymwelwyr yma'n rhan bwysig o swyddogaeth y cyngor, ar wahân i drafod problemau'r lle a phwyso ar yr awdurdodau uwch i weithredu. Eleni dwi'n faer ac mae hynny'n anrhydedd fawr. Mi es i ar y cyngor am i mi sylweddoli, os nad aiff y Cymry, y bydd y lle'n cael ei reoli gan fewnfudwyr yn fuan iawn. 'Dan ni'n rhai da fel Cymry am gwyno am bawb a phopeth a pheidio gweithredu ein hunain.

Mae Llanfairfechan yn lle diddorol iawn i fyw ynddo ac mae'r bennod hon yn sôn am rai pobol a digwyddiada sy'n gysylltiedig â'r ardal.

SIÂN WHELDON

Un o'r rhai fu'n help mawr i mi wrth i mi geisio mynd ar y cyngor oedd Siân Wheldon. Roedd hi wedi prynu tŷ ar y bont yn Llanfairfechan ac roeddwn inna'n sefyll i fynd ar Gyngor Tref Llanfairfechan am y tro cynta. Mi oeddwn i'n sefyll yn enw Plaid Cymru ac wedi cael rhywfaint o help i lunio pamffled ar gyfer yr etholiad, ond wedi'i sgrifennu fy hun, ac mi gafodd ei argraffu'n lleol.

113

Wedyn roedd yn rhaid dechra mynd â'r copïau rownd y dre, ac roedd darn ar waelod y pamffled lle gallai pobol nodi os oedd ganddyn nhw broblemau a'i ddychwelyd i mi er mwyn i mi ddod i wybod be oedd yn eu poeni nhw. Mi ges i amryw yn ôl, rhai'n cwyno am dyllau yn y lôn, y biniau sbwriel ddim yn cael eu casglu, problemau felly. Ac mi ges i un yn ôl gan Siân Wheldon yn nodi bod dŵr yn sefyll o flaen ei thŷ ac yn cyfeirio hefyd at gamgymeriadau yn y Gymraeg yn y pamffled roeddwn i wedi'i sgrifennu!

Mi feddyliais fod y ferch yma'n werth mynd i'w gweld, er nad oeddwn i'n ei nabod hi, ac felly ryw fin nos dyma gnocio ar ei drws. Mi ges groeso ganddi ac mi ddwedodd y basa hi'n fy helpu efo'r gwallau yn y pamffled, yn mynd â'r pamffledi rownd y dre ac yn dod efo fi ar ddiwrnod yr etholiad, hi a Phil Edwards, y cynghorydd sir ac arweinydd y Blaid ar Gyngor Conwy. Mi ddaeth efo fi i Gonwy hefyd ar gyfar cyfri'r pleidleisiau, ac roedd hi'n nabod pawb yno, y cynghorwyr a phawb arall hefyd! Roeddan nhw i gyd yn ei nabod hi am eu bod yn nabod Sandra Picton ar *C'mon Midffîld!*.

Mi agorodd Siân ddrysau i mi wedyn, ac mae o'n wir, pan 'dach chi'n dod i nabod person, nid dod i nabod un ydach chi ond llawer trwy'r un person hwnnw. Dyna sut y dois i i nabod Dafydd Iwan, a thrwy ei nabod o, fel y gwyddoch chi erbyn hyn, y cawson ni fynd i barti dathlu Sain yng Ngwesty'r Celt pan oedd *Fferm Ffactor* yn cael ei ffilmio.

Dwi wrth fy modd yn cael bod yn gynghorydd. Mae o'n gyfle i geisio gwasanaethu'r gymuned a rhoi rhywbath yn ôl i'r gymdeithas y ces i fy magu ynddi.

WILLIAM HUGHES AC ISLWYN PARRI

William Hughes oedd tad yng nghyfraith Islwyn Parri, pennaeth Ysgol Tryfan pan oeddwn i yno. Dyn dymunol dros ben ydi Islwyn Parri ac roedd o'n brifathro ardderchog, a dwi'n siŵr ei fod o'n haeddu gwell na chael rafin fel fi'n ddisgybl yn ei ysgol!

Beth bynnag am hynny, roedd William Hughes yn ddyn andros o glên ac annwyl, yn byw yn Rose Mount, Llanfairfechan efo'i wraig Annie ac yn hyfforddwr cŵn defaid heb ei ail. Roedd o'n ffrindia mawr efo Dad ac mi ddysgais i lawer iawn ganddo fo, dysgu sut i hyfforddi cŵn am ei fod o wedi ymddeol ac efo mwy o amsar na Dad i fynd allan i'r cae efo fi, ond dysgu llawer am fywyd hefyd trwy fod yn ei gwmni. Dyn addfwyn, distaw, byth yn gwylltio oedd William Hughes pan oeddwn i'n ei nabod o ac mi fu'n ffrind mawr i'r teulu tra bu byw.

Mi fydda Huw a fi wrth ein boddau yn gweld William Hughes yn dod draw pan oeddan ni'n blant gan ei fod bob amsar yn dod â da-da i ni. Fo ddysgodd Sbot, y ci cynta ges i. Sbot druan! Roeddwn i tua deuddag oed pan ges i o gan Dad ac mi 'nillais sawl cwpan efo fo dan un ar hugian mewn rasys cŵn a sioeau. Ond un diwrnod mi grogodd ei hun ar ei jaen wrth geisio neidio dros y giât. Ar ôl hynny y cawson ni gytiau iawn ar y buarth i'r cŵn.

Mae'n siŵr 'mod i wedi cael tipyn bach llai o gosb na fy haeddiant gan Islwyn Parri yn Ysgol Tryfan oherwydd fy nghysylltiad efo William Hughes, achos roeddwn i o flaen fy ngwell am rywbath o hyd. A deud y gwir, doeddwn i ddim yn hoff iawn o'r ysgol, isio bod adra oeddwn i, a doedd Dad ddim yn gwthio llawer arna i i aros yno chwaith. Erbyn hyn dwi'n difaru na wnes i fwy a dwi'n trio gwthio'r plant 'ma achos mae petha wedi newid, mae ffarmio wedi newid. Doedd fawr ddim gwaith papur pan oeddwn i'n dechra, nid fel heddiw.

I Ysgol Gynradd Pant y Rhedyn yr es i a dwi'n cofio Valmai Griffiths yn athrawas yno, un roedd ar bawb ei hofn, ac andros o athrawas dda. Wedyn i Ysgol Tryfan ym Mangor, a'r ysgol yn tyfu efo ni. Ni oedd y criw cynta i fynd yno ac roedd llawer o blant efo cefndir ffarmio yn yr ysgol, criw Felinheli ac ati. Roedd y Cymry Cymraeg yn tueddu i fynd yno, a rhai o gartrefi di-Gymraeg o ardaloedd fel Maesgeirchen hefyd. Roeddan ni'n griw da ac roedd hi'n ysgol hapus, ddim yn rhy fawr ar y dechra. 'Chydig iawn o'r plant oedd yn yr ysgol efo fi sy ar ôl yn y dre erbyn hyn. Maen nhw dros y byd i gyd. I Fangor mae 'mhlant i'n mynd hefyd, i Ysgol y Garnedd ac i Ysgol Tryfan er mwyn iddyn nhw gael addysg Gymraeg. Mae Ysgol Llanfairfechan wedi Seisnigo'n arw ar ôl i'r dre ddod yn rhan o sir Conwy yn hytrach na Gwynedd, ond mae petha'n dechra gwella eto erbyn hyn.

DYSGU'R CI

Mae Cae Llwyn Sgolog yn Llanfairfechan yn gae chwe acer ar hugian ac yno mae'r sioe gŵn yn cael ei chynnal. Yno hefyd y bydda i'n dysgu ci ifanc fin nos ar ôl gorffan gwaith y dydd.

Y llynadd oedd hi, ryw fin nos o haf, ac roedd y ci oedd gen i i'w ddysgu yn gi da, yn ymatab i bob chwibaniad – chwibaniad i'w yrru i'r dde, chwibaniad i'w yrru i'r chwith, un arall i'w arafu a'i stopio. Roeddwn i wedi'i anfon o rownd i nôl y defaid ac yna gorchymyn iddo aros yn ei unfan. Mi wnaeth hynny'n ufudd ddigon, a'r eiliad nesa dyma fi'n clywad chwibaniad arall ac i ffwrdd â'r ci. Dyma ddal ati a'i gael rownd y cae a'i yrru i'r chwith, yntau'n mynd, ac yna chwibaniad arall o rywla a fynta'n aros yn ei unfan. Mi ddigwyddodd hyn drosodd a throsodd – bob tro roeddwn i'n chwibanu roedd chwibaniad arall yn dod o rywla a doedd y ci druan ddim yn gwybod lle roedd o na be oedd o'n ei neud erbyn y diwadd, ac mi fuo'n rhaid rhoi'r gora i'r ymarfer cyn i mi fynd yn flin efo fi fy hun ac yn flin efo'r ci. Dyma feddwl mai carrag atab oedd yna, ac eto chlywais i ddim byd o'r fath yn ystod yr holl flynyddoedd pan fydda sioe gŵn yno, nac yn ystod y blynyddoedd roeddwn i wedi bod yn ymarfer cŵn yno ar ôl prynu'r cae ddeuddang mlynadd ynghynt.

Beth amsar wedyn roedd hi'n barti pum deg Cedric Thomas yn Llys y Gwynt, ffarm fy Yncyl Emyr. Mae ganddo ferch o'r enw Nia a'i phriod hi ydi Cedric Thomas, un castiog ar y diawl. Mi welwch be sy'n dod falla.

Roeddwn i'n siarad efo Cedric yn y parti a dyma fo'n deud:

'Dwi ddim yn dy weld ti'n trênio'r cŵn ar y cae mor amal ag y byddat ti.'

'Fydda i yno bob min nos pan ga i gyfla,' medda fi.

'Mi welais i ti ryw noson,' medda fo, 'a fuost ti ddim yno 'run pum munud. Be oedd yn bod?'

'Pam ti'n gofyn?'

'Dim ond meddwl be oedd yn bod arnat ti.'

'Roedd 'na garrag atab yno,' medda fi.

Ac mi wyddwn be oedd yn dod.

'Y fi oedd y garrag atab,' medda fo, 'roeddwn i'n cuddio y tu ôl i'r wal ac yn chwibanu. Disgwyl dy weld di'n gwylltio efo'r ci.'

'Mi gest dy siomi, yn do, y diawl,' medda fi.

Do, mi wnes i sylweddoli y noson honno, pan fydd rhywun yn chwara tric arnoch chi a chitha'n deud dim am y peth wrth neb, mi ddaw'r gath o'r cwd yn y diwadd, a'r rhan amla gan yr un sy wedi chwara'r tric arnoch chi!

Ac mi alla fo fod wedi bod yn fwy 'strywgar na hynny tasa fo wedi dal ei dafod, a dod yno bob nos am ryw wythnos pan fyddwn i'n trênio'r ci. Mi faswn i'n crafu 'mhen go iawn wedyn, yn baswn?

PARTI DOCTOR JOHN

Pan oeddwn i tua deunaw oed mi fyddwn i'n mynd i lawer o bartis. Roedd cartra nyrsio Bryn y Neuadd i rai gwan eu meddwl i lawr y ffordd ac mi fydda llawer o nyrsys yn dod yno i drênio, a hynny o bob rhan o'r byd.

Un o'r rhai oedd yn gweithio yno oedd Doctor John. Doedd o ddim yn ddoctor a deud y gwir, *staff nurse* oedd o, ond roedd o'n swnio fel doctor a dyna sut y cafodd o'r enw. Roedd o'n byw yn fflatiau Graiglwyd i lawr yn y dre ac yn un garw am bartis, a hynny'n beth braf iawn i ni hogia ifanc.

Dyma'i weld o un diwrnod a fynta'n deud bod parti yn ei fflat y noson honno. 'Dowch draw a dowch â chania efo chi,' medda fo. Roedd Ieu fy nghefndar a fi wedi cael gafael ar ddwy nyrs reit ddel oedd yn newydd i'r ardal, a dyma ni'n pedwar yn mynd i'r parti.

Dwi'n cofio bod y drws ffrynt wedi'i gloi ac i mewn drwy ffenast yn y cefn y bu'n rhaid inni fynd. Mi gawson ein hunain yn y man, y pedwar ohonon ni, i fyny'r grisia yn y llofft yn y gwely mawr, a digon o le ynddo fo i bedwar ar binsh!

Roeddan ni'n gorffan y caniau ac yn adrodd pob math o straeon wrth y genod, rhai gwir a rhai dychmygol. Gan fod Bryn y Neuadd yn gartra i rai gydag anhwylderau'r meddwl roeddan ni'n gallu eu rhaffu nhw a deud straeon eitha arswydus wrthyn nhw i'w dychryn, straeon am bobol yn mynd dros ben llestri ac yn bygwth a dychryn pobol eraill – nid bod hynny'n digwydd, cofiwch.

Yn sydyn dyma Ieu yn codi a deud ei fod o'n mynd i'r toilet.

Be wnaeth o ond mynd at un o'r hogia eraill oedd yn y parti, Jonathan, oedd yn glamp o foi mawr.

'Tyrd i fyny i'r llofft fel rhywbath o'i go i ddychryn y genod,' medda fo wrtho.

Heb yn wybod i Ieu, roedd Jonathan wedi dod â'i jênso efo fo'r noson honno achos ei fod am ei gwerthu ac yn gobeithio cael cwsmer iddi yn y parti.

Mi ddaeth Ieu yn ei ôl ac ymlaen yr aeth y storïa. Yn sydyn dyma anferth o gnoc ar y drws, a chyn i neb ddod i mewn dyma fi'n clywad sŵn jênso yn cael ei thanio. Dyma gic i'r drws a Jonathan yn camu i mewn, golwg wyllt ar ei wynab a'r jênso'n rhuo yn ei ddwylo wrth iddo dynnu ar y sbardun.

Sôn am ddychryn, roedd y ddwy hogan yn sgrechian fel petha gwirion, a dyma nhw'n rhuthro oddi yno ac i lawr y grisia, a ninna'n tri yn chwerthin am eu penna, ond yn difaru'n fuan iawn achos dwi ddim yn meddwl i'r un o'r ddwy sbio arnon ni byth wedyn.

'Be ti'n neud efo'r jênso 'na?' gofynnodd Ieu i Jonathan.

'Dwi'n gobeithio'i gwerthu hi,' oedd yr atab.

'Tyrd i mi ei gweld yn gweithio,' medda Ieu, 'dwi angan jênso.'

Ac allan â'r ddau a thorri coedan yn y gerddi oedd yn y cefn er mwyn i Ieu ei gweld yn gweithio, ond phrynodd o mohoni gan ei bod hi'n rhy ddrud ac yn well am ddychryn genod nag am dorri coed.

Un o ffilmiau poblogaidd y cyfnod hwnnw oedd *The Texas Chainsaw Massacre*, a dwi'n siŵr i'r genod feddwl bod y ffilm yn mynd i ddod yn fyw yn eu hanes nhw'r noson honno.

DIC GRAIGLWYD

Un o fois yr atab sydyn oedd Dic Graiglwyd. Mae o wedi'i gladdu ers blynyddoedd rŵan. Ffarmwr oedd o, ffarmwr oedd bob amser yn gwisgo coler a thei, ac yn 1995 mi brynon ni ei ffarm o. Roedd gynnon ni foi ifanc yn gweithio i ni'r adeg honno oedd bob amser yn tynnu ar Dic ac yn ei herian. Roedd Dic yn ei saithdega ac un diwrnod roedd y boi yma'n dannod iddo nad oedd o, oherwydd ei oed, yn da i ddim efo merchaid. 'Fedri di neud dim byd efo nhw. Rwyt ti'n meddwl dy fod ti'n uffarn o foi, ond rwyt ti wedi hen ddarfod efo nhw. Wyt ti ddim yn meddwl dy fod ti'n llawar rhy hen?' medda fo.

Un frawddeg oedd atab Dic: 'Dos adra i ofyn i dy fam.'

Hogyn ifanc oeddwn i ar y pryd ond dwi'n cofio meddwl 'i fod o'n un o'r atebion gora glywais i 'rioed. Dwi wedi meddwl llawer – mae isio dysgu cau ceg weithia, on'd oes? Oedd, roedd yr hen Ddic Graiglwyd yn un da ar y diawl.

JULES HUDSON

Y dechra oedd galwad ffôn gan foi o'r enw Michael Swift. Cynhyrchydd yn gweithio ar raglan *Countryfile* oedd o, ac roedd o wedi darllen erthygl am y merlod ac isio gneud eitem amdanyn nhw yn y rhaglan *Autumn Special* oedd i'w dangos ddechra Tachwedd 2010, gan 'mod i'n hel yn yr hydref.

Mi gytunais ac esbonio wrtho mai merlod gwyllt oeddan nhw a'n bod ni'n eu hel nhw efo moto-beics. Roedd o'n deall yn iawn. Mae gynnon ni dair helfa mewn blwyddyn, a helfa Pencefn oedd hon, y mynydd y tu ôl i'r ffarm yma.

Mi gawson ni ddiwrnod ardderchog. Boi o'r enw Jules Hudson oedd efo ni yn trefnu ffilmio'r hel, ac roedd nifer fawr ohonon ni'n cymryd rhan, yn deulu a chymdogion, ar feiciau modur dwy a phedair olwyn. Mi gafodd Jules ei hun feic pedair olwyn i'w reidio ac roedd o dipyn ar ei ôl hi fel y gallwch chi ddeall, gan nad oedd o wedi arfer. Roeddan ni i gyd wedi blino erbyn y diwadd gan ei fod o'n waith sy'n cymryd llawer allan ohonoch chi. Roedd y criw teledu wedi blino hefyd – chwech ohonyn nhw i gyd, yn bobol camera a sain ac ati – yn enwedig Jules.

Ond roedd o wedi bwriadu mynd adra y noson honno.

'Be am swpar efo ni cyn iti fynd?' medda fi.

'Iawn,' medda fo, 'ond ew, dwi 'di blino a dwi ddim awydd dreifio adra.'

'Dim problem,' medda fi, 'gei di swpar efo ni a gei di aros yma heno.'

Gawson ni swper a photelaid o win ac wedyn mi ofynnodd Jules lle roedd ein tafarn. Mi atebais inna mai'r Llanfair Arms lawr yn y dre oedd hi ac roedd o'n awyddus i fynd yno, i weld sut roeddan ni'n byw yng ngogledd Cymru am wn i!

I lawr â ni ac at y bar, a fedrach chi ddim cael dau mwy gwahanol na'r tafarnwr, Dafydd Ap, a Jules: Dafydd Ap yn Gymro yn tynnu at ei saithdega ac wedi bod yn dipyn o rebal yn ei ddydd, a Jules, Sais o'r Saeson, wedi gwisgo'n dda – ie, hyd yn oed ar gyfar yr helfa – ac yn siarad fel tasa gynno fo datan boeth yn ei geg.

Mi ordrodd beint i mi ac iddo fo'i hun a thynnu cerdyn allan.

'Be uffarn mae o isio efo hwnna?' medda Dafydd.

'Isio talu am 'i ddiod mae o,' medda fi.

'Dwed wrtho fo am roi ei gerdyn yn ei din, *cash* 'dan ni'n iwsio yn fa'ma.'

'Put your card back in your pocket,' medda fi wrth Jules, yn ormod o gachwr i gyfieithu'n llythrennol, 'and pay by cash.'

Ond doedd ganddo fo 'run geiniog ar ei elw, a fi fuo raid talu am ddiod iddo drwy gyda'r nos. Mi gostiodd ffortiwn i mi, dim ond er mwyn iddo fo gael gweld sut roeddan ni'n byw yma yng ngogledd Cymru!

Mae Jules a fi yn dal yn ffrindia da ac yn siarad efo'n gilydd yn amal ar y ffôn, a phwy a ŵyr na chewch chi weld y ddau ohonon ni efo'n gilydd ar y teledu eto ryw ddiwrnod!

BAI AR GAM

'Dan ni'n griw o rai blêr pan fyddwn ni'n gweithio, blêr efo'n dillad ac yn lluchio'n cotia i mewn i'r landrofer rywsut-rywsut a bachu'r un agosa at law pan fydd ei hangan. Does dim cownt pwy sy'n gwisgo côt pwy, cyn bellad â bod gynnon ni i gyd gôt. Ond mi all hynny achosi traffarth a helynt – ac mi wnaeth i mi.

Roedd Dad wedi bod yn Gaerwen efo llwyth o fogia a fin nos y noson honno roedd o'n eistedd yn y ffenast yn ei fyngalo a finna'n pasio heibio i fynd i drênio'r ci. Dyma gnoc ar y ffenast a 'ngalw i mewn.

Roeddwn i'n gwybod oddi wrth y gnoc bod rhywbath yn bod, rhyw broblam neu'i gilydd. I mewn â fi i'r tŷ ac ista ar ei gyfar.

'Be sy'n bod?' medda fi.

'Gobeithio dy fod ti'n bihafio dy hun,' medda fo.

'Be uffarn ti'n malu?'

'Ti 'di bod off am 'chydig o ddyddia.'

'Do.'

'Ti'n bihafio dy hun?'

Ew, roedd o'n seriws, a doedd o 'rioed wedi fy holi i fel hyn o'r blaen, gofyn oeddwn i'n bihafio a phetha felly.

Dyma fo'n deud ei stori.

Wrth gamu o'r landrofer yn Gaerwen roedd Dad wedi estyn am ei gôt ac wedi'i gwisgo. Wedyn mi aeth i'r lle bwyd i gael brechdan bacwn a phanad. Dyma fynd trwy ei bocedi i chwilio am bres i dalu a be ddisgynnodd allan o boced ei gôt ond pacad o gondoms. Mi sylweddolodd yn syth nad ei gôt o oedd hi ac mi feddyliodd mai fi oedd pia hi. Ond roedd criw o ffermwyr o gwmpas ac mi welson nhw be ddigwyddodd. Mi tynson nhw o'n gria ac mi fu'n rhaid iddo fo ddiodda tynnu coes didrugaredd.

'Sut gôt oedd hi?' medda fi.

'Côt las efo sgwennu ar y cefn.'

'Côt Yncyl Teg 'di honna,' medda fi. Ac roedd Yncyl Teg yn sefnti ffôr!

Allen ni ddim gweld yr amsar yn mynd ddigon cyflym i'w daclo fo'r diwrnod wedyn. Ganol bora roeddan ni i gyd rownd y bwrdd yn cael panad a dyma Dad yn gofyn i Yncyl Teg:

'Be ti'n neud efo pacad o gondoms yn dy boced?'

'Sgen i ddim ffasiwn beth,' medda fo. 'Be fasan nhw'n da i mi?'

Mi gafodd o'i ragio gan bawb, ond y fi ddaeth allan ohoni waetha – cael bai ar gam 'mod i'n chwara i ffwrdd, a chael y bai wedyn am roi y pacad ym mhoced Yncyl Teg. Roedd rhywun wedi gneud hynny am hwyl. Ond nid y fi oedd o, a wnaethon ni ddim darganfod pwy chwaith. Falla daw'r gwir i'r golwg pan fydd yr euog un yn darllen y llyfr yma!

Ras y Prams

Bob blwyddyn yn Llanfairfechan mae yna rasys prams ac mae thema arbennig bob tro. Ar ddydd Sul y cynhelir y ras, ac un nos Sadwrn cyn y diwrnod mawr mi ges i alwad ffôn gan fy chwaer yng nghyfraith, Caroline, yn gofyn allwn i ei helpu. Un o griw o ferchaid oedd yn cystadlu fel tîm oedd hi – rhyw bedair neu bump dwi'n meddwl, ac roedd y boi oedd i fod i wthio'r pram efo nhw wedi tynnu'n ôl ar y funud ola ac felly doedd ganddyn nhw neb i neud y job ac roeddan nhw angan dyn!

Y thema y flwyddyn honno oedd *Big Fat Gypsy Wedding* felly rhaid oedd gwisgo het fflat a gwasgod, trywsus du a chrys gwyn a phymps. Roedd andros o griw da yno, tua phymthag o brams yn barod ar gyfer y ras a llawer o bobol a phlant allan yn gwylio. Roedd yr arian a gesglid yn mynd at elusen.

I lawr â ni i lan y môr ac at dŷ Helen Butler lle roedd y ras yn cychwyn – Helen, Melinda, Caroline a dwy chwaer, Lynne a Jan. Pump ohonyn nhw i gyd, chwech efo fi, a be wnaethon nhw ond dewis y fwya a'r dryma yn lle'r lleia a'r sgafna i fynd i mewn i'r pram! Roeddan ni wedi cael diod cyn cychwyn y ras ac mi ddwedodd y genod nad oeddan nhw byth yn trio ennill, dim ond cymryd rhan am hwyl.

'Wel, rasio i ennill y bydda i, felly dal yn dynn,' medda fi wrth yr un yn y pram a ffwrdd â ni ar ras nes bod coesa'r ferch yn y pram yn codi i'r awyr. Roedd cael diod ym mhob tafarn yn Llanfairfechan yn rhan o'r ras, gan orffan yn y clwb golff, ac mi ddwedais wrth y genod am fynd yn syth at y bar ym mhob tafarn ac archebu diod. Wisgi oeddwn i'n ei gymryd bob tro – dewis gwirion, falla – a'r genod yn yfed fodca a Coke.

Gan ein bod ni ar y blaen yn cyrraedd y dafarn gynta mi gawson ni ddau ddiod gan fod un o'r bois, Pickles, yn swcro. Wedyn ymlaen i'r clwb hwylio. Roedd y genod i fod i wthio hefyd ond rhedag y tu ôl roeddan nhw, ac amball un yn stryglo. 'I don't do running,' medda un! Finna ar y blaen yn gwthio ac yn chwysu. Roeddwn i wedi cael tri wisgi erbyn hyn, wedi'u hyfed yn gyflym ac yn dechra teimlo'u heffaith. Ymlaen â ni i fyny at y Llanfair Arms sy ar y bont. Roedd y plant i gyd efo ni ac yn gofyn gaen nhw helpu, ac mi ges i eu help nhw i wthio'r pram beth o'r ffordd. Roeddan nhw'n llawer gwell na'r merchaid – wel, y rhan fwya ohonyn nhw beth bynnag.

Doedd 'na ddim llawer o reolau – hel pres oedd y bwriad – ond roedd yn rhaid codi rhywbath ym mhob tafarn os am ennill, modrwy o un dafarn, addurn gwallt o un arall ac yn y blaen, tlysau oedd yn cyd-fynd â'r thema am y dydd, a fydda dim modd ennill os byddan ni un peth yn fyr.

Mi gyrhaeddon ni'r Llanfair Arms o flaen pawb ond doedd dim sôn am Dafydd oedd i fod y tu ôl i'r bar. Dyma weiddi ond roedd o i lawr yn y selar yn newid y bareli, wedi anghofio popeth am y ras, ac erbyn iddo fo ddod yn ôl i'r bar roedd tri neu bedwar criw arall wedi cyrraedd hefyd.

O'n blaena wedyn roedd allt serth Penybryn ac roedd y plant wedi diflannu erbyn hyn a dim help i'w gael ganddyn nhw i wthio. Roedd Caroline yn fy helpu ac roeddan ni'n dau wedi blino a chan ei bod hi'n ddiwrnod braf roeddan ni'n chwys domen. Doeddwn i ddim isio diod arall ond rhaid oedd cymryd un yn y dafarn ola cyn dringo'r allt i'r clwb golff, efo pobol allan o'u tai yn gweiddi ac yn cymeradwyo. Diwrnod o rialtwch go iawn oedd o.

Ni oedd y cynta i gyrraedd y clwb golff ac roedd yn rhaid mynd i gyhoeddi hynny a rhoi'r petha oeddan ni wedi'u casglu i'r swyddog oedd yn gyfrifol, sef Sylvia. Ond yr hyn wnaeth y genod oedd mynd yn syth at y bar ac mi ddaeth criw arall i mewn ar ein hola ni a mynd at y swyddog o'n blaena ni.

Mi ddwedodd Sylvia wrtha i nad oeddan ni wedi ennill gan nad oeddan ni wedi gneud be oedd raid, ac roeddwn i'n siomedig ar ôl yr holl ymdrech a finna isio ennill. Ond ymhen hir a hwyr, pan ddaeth y cyhoeddiad, mi gawson ni ar ddeall mai ni oedd yn fuddugol wedi'r cyfan ac mi wnaeth hynny fy niwrnod i!

LLANFFEST

Dathliadau teuluol roddodd y syniad i ni. Mi ddaeth hogia Mary, cyfnither Dad o America, drosodd i Gymru efo'u teuluoedd ac mi ddaru ni drefnu parti yn y sied yn Nhy'n Llwyfan, bwyd a grwpiau Cymraeg, ac roedd hi'n noson ardderchog. Anti Falmai a John Ty'n Rhedyn oedd yn cadw cysylltiad efo'r teulu yn America a nhw gafodd y syniad am y parti a gneud y rhan fwya o'r trefnu.

Ymhen dwy flynadd roedd Megan fy nghyfnither a

Catherine chwaer Rhian yn cael penblwyddi arbennig a dyma drefnu parti arall efo grwpiau'n canu, ac roedd y noson honno'n llwyddiant mawr hefyd.

Mi ges fy ngwahodd i fynd ar fwrdd rhyngwladol cymdeithasau cŵn defaid, a chadeirydd Cymru ar y pryd oedd Wyn Edwards o Ruthun, a ffrind i mi, Emrys Lewis, oedd cadeirydd pwyllgor Abergele. Roedd amryw o bwyllgorau lleol yn cyfarfod ac yn trafod dulliau o godi arian a chynnal digwyddiada megis ocsiwn addewidion ac ati. Dyma finna'n deud rhyw noson, fel rown i fwya gwirion, falla y basan ni'n gallu cynnal cyngerdd roc yn Nhy'n Llwyfan, ac mi gynhaliwyd y cynta ohonyn nhw yn 2007 a'i alw'n Llanffest a chodi £5,000, rhan o'r elw'n mynd tuag at y rasys cŵn a rhan ohono at achosion lleol megis y carnifal a'r clwb pêl-droed.

Y flwyddyn wedyn, 2008, dyma benderfynu cynnal yr un math o noson at Dŷ Gobaith ac mi gynigiwyd gwersylla am ddim i bawb fydda'n dod i'r noson. Roedd yr ymatab yn anhygoel – mi ddaethon nhw o bobman ac roedd y ddau gae ar gyfar y gwersylla'n llawn. Hogia ni oedd yn stiwardio ac yn gyfrifol am seciwriti a sicrhau nad oedd dim helynt. Mi ddaeth yr heddlu i fyny ac roeddan nhw'n hapus fod popeth yn cael ei redag yn iawn.

Grŵp lleol o Lanfairfechan oedd wrthi gynta ac wedyn Rhian a Bryn Fôn a Celt a grwpiau eraill. Roedd gan Rhian, am ei bod yn canu ei hun, gysylltiad efo'r grwpiau yma a doedd dim gwaith perswadio arnyn nhw i ddod. Ond roedd yn rhaid bod yn reit gadarn efo nhw cyn belled ag roedd amseru'n bod. Tri chwartar awr oedd pob set i fod a dim rhagor, ond mae grwpiau bob amsar isio chwara un gân arall! Roedd awyrgylch grêt yn y lle a phawb yn mwynhau ac yn bihafio. Dau yn unig fu'n rhaid i ni eu hanfon oddi yma, ac mi gawson nhw eu hebrwng at y bws gan rai o'n hogia ni.

Mi ddaeth hogyn ifanc ata i a deud ei fod wedi colli ei ddrymiau, set ddrymiau newydd sbon, a bod rhywun wedi'u dwyn. Wel, roedd hi'n dywyll erbyn hynny a dim gobaith chwilio efo'r holl bobol oedd o gwmpas, ac mi barhaodd yr hwyl tan tua dau o'r gloch y bora.

Drannoeth mi godais i'n fora a mynd o gwmpas. Roedd y cae cynta'n dawel, pawb yn dal i gysgu, ond yn yr ail gae roedd tân mawr a chriw yn eistedd o'i gwmpas efo'u gitârs a'u hoffer, wedi bod yno drwy'r nos. Dyma ofyn iddyn nhw oeddan nhw wedi gweld set o ddrymiau yn rhywla a dyma un yn deud ei fod o wedi clywad drymiau yn cael eu chwara yn y cae nesa. Wel, doedd dim byd ond defaid yn hwnnw, dim byd i fod beth bynnag. Mi es i draw i edrych ac ar ganol y cae roedd set o ddrymiau, y drymiau a gollwyd y noson cynt. Rhywun wedi'u ffansïo nhw, wedi bod yn eu chwara ac yna wedi diflannu. Chawson ni byth wybod pwy a'u cymrodd nhw ond doeddan nhw ddim gwaeth ac mae'n siŵr i'r sawl a'u cymrodd fwynhau ei hun yn chwara i'r defaid!

Roedd gwaith clirio mawr ar y lle drannoeth yr ŵyl, y sied yn enwedig, ond roedd o'n werth o ac mi godwyd miloedd at Dŷ Gobaith. Mi gynhalion ni sawl Llanffest wedyn hefyd a Rhian yn arbennig yn gweithio'n galad i drefnu, ond rydan ni wedi rhoi'r gora iddi erbyn hyn.

Falla, rywdro, y daw cyfle i'w hatgyfodi, ond ar hyn o bryd mae bywyd yn brysur a chalad – er, ddim mor galad â'r argraff roeson ni i griw ddaeth yma o Lundain i ffilmio rhaglan mewn cyfres deledu!

11

SCHOOL OF HARD KNOCKS

CYFRES O RAGLENNI ar deledu Sky oedd *School of Hard Knocks*, lle roedd criw o lanciau a dynion efo problemau dwys yn sgil camddefnyddio alcohol a chyffuriau yn mynd trwy'r felin er mwyn ceisio gwella'u hagwedd at fywyd a'u gosod ar eu traed. Mi ges alwad ffôn gan rywun o'r enw Ollie Fraser, un o gynhyrchwyr y rhaglan. Roedd o wedi clywad am y merlod gwyllt sy gynnon ni ar y Carneddi ac mi ofynnodd fasa fo'n cael dod â'r criw i'w ffilmio yn hel y merlod.

Mae'n od sut mae'r petha 'ma'n digwydd. Ym mharti hannar cant 'Mike the Bike', un o fy ffrindia, mi ges sgwrs efo hen gyfaill arall, John Burns. Roedd o'n ffrind agos i Scott Quinnell, un oedd yn y gyfres, ac mi soniodd wrtho fo amdanon ni a'r merlod. Dyma fynta wedyn yn sôn wrth Ollie Fraser, a dyna *School of Hard Knocks* yn dod i'r Carneddi!

Y ffordd y cawson nhw hyd i bedwar ar bymthag o'r hogia 'ma oedd mynd i swyddfa'r dôl yn Croydon a'u dewis o'r fan honno, yr ienga'n ddeunaw a'r hyna dros ei ddeugian. Mi drefnodd Ollie i ddod â nhw draw, ynghyd â'r criw teledu a Will Greenwood a Scott Quinnell, dau gynchwaraewr rygbi oedd â rhan bwysig yn y rhaglenni.

Mi ddwedodd wrtha i y bydda'n rhaid i mi fod yn galad

Hel 'marlod'. Digon i ddychryn Griff Rhys Jones! Ieuan, Yncyl Teg, Wil Gwyndy, Robat, fi, Mark Hughes, Myrfyn Parry, Dad, Ken Gwyndy, Berwyn, Robat Owen ac Yncyl Wil

Mynd ati i drin y merlod: Robat, Marc Ginger (bron o'r golwg), Mair, Dad, Geraint, Yncyl Teg a fi

Y pum brawd, o'r ieuengaf i'r hynaf: Teg, Rol (Dad), Wil, Huw a Bobi

Dad a Mam

Siôr yn ddyflwydd oed

Siôr: mae o wedi bwyta digon o grystiau!

Nain Pen a Rolant ar ei glin (2001)

Rolant (2001)

Mari yn ddiwrnod oed (Mehefin 2004)

Iechyd da!

Yn festri Capel Horeb – fi a Cedric â'i ffon fugail. Dim carrag atab yn y fan yma!

Yng nghanol y plant. Rhes flaen: Rolant, Elin Lois, Seren, Ela, Alaw. Rhes gefn: Elin Lloyd, Mari Non, Siôr a fi

Disneyland Paris: fi, Siôr, Rolant a Mari – a neb ar goll!

Disneyland Paris: Rolant, Cruella de Vil, Mari, Rhian a Siôr

Adnewyddu'r tŷ (2004)

Ffilmio *Cefn Gwlad*: Ieuan, Yncyl Huw, Dai Jones, Owen John, Yncyl Wil, fi, Berwyn a Dad

Sêl gyntaf merlod y Carneddi (2009): Rolant, fi, Mari, Siôr a Dad

Y teulu yn gytûn

Huw, Rhian, Sioned a fi – a'r haul yn gryf!

Un o'r 'champagne moments'!

Cael fy urddo yn Faer
Llanfairfechan

Byd caled yw byd ffarmio – i'r ffarmwr a'r anifail

Cyfweliad efo Radio Wales

Trin traed gwarthaig: Dad, Robat, fi, Ieuan ac Owen John

Dôsio'r defaid – Owen John (bron o'r golwg), Robat a fi

Dad, Yncyl Teg ac Yncyl Wil. Od eu gweld nhw'n eistedd!

Dad, fi a Teg

Snowdonia 1890
efo fy nghi, Eryri Cap
Llun: BBC

Wil, fy nhad yng nghyfraith, yn
Sioe Frenhinol Llanelwedd efo
Siôr, Rolant a fi

Dad yn 60 oed

Mam, Wil, Dad a Liz (2007)

Rolant, Siôr a Mari (Ebrill 2012)

O'r môr i'r mynydd

Be dwi'n seinio rŵan?

'Nôl yng
Nglynllifon
– tipyn callach!

Yn fy nghynefin

© Jan Davies

Wrth fy ngwaith

Y deg oedd isio'r pic-yp

Llun: S4C

Hawdd oedd gwenu ar y cychwyn

Llun: S4C

efo'r criw. Dwi'n cofio'i eiria fo'n glir. 'I want you to act in a very positive, stern and scary manner,' medda fo. 'That's no problem at all,' medda fi'n iach i gyd.

Mi drefnwyd popeth ar gyfar yr hel ryw ddydd Sadwrn ac mi gyrhaeddodd pawb y noson cynt, Will Greenwood a Scott Quinnell i ddechra ac yna'r bws oedd yn cario'r dynion. Roeddan nhw wedi cael siwrna hir, annifyr, heb gyfle i bi-pi ar y ffordd, ac roedd tri ohonyn nhw wedi meddwi cyn cychwyn. Ar ôl iddyn nhw gyrraedd gwaelod yr allt mi ffoniodd y dreifar fi i ofyn oedd yn iawn iddo fo ddod â'r bws i fyny i'r buarth.

Mi ddwedais inna wrtho fo nad oedd ganddo fo obaith gneud hynny ac y bydda'n rhaid gadael y bws yn y gwaelod oherwydd y drofa fawr sy rhyngon ni a gwaelod y ffordd. Ond wrandawodd o ddim arna i, roedd o'n gwybod yn well.

'There'll be no problem, I'll be there now,' medda fo.

Y cradur gwirion. Mi aeth 'i fws o'n sownd, wrth gwrs, ac mi fuo'n rhaid bachu'r tractor mawr, y John Deere, i'w lusgo fo'n rhydd. Nid ar chwara bach y gwnaed hynny chwaith. Mi dorrodd y tsiaen deirgwaith ac mi fuo'n rhaid cael un gryfach, ond mi gawson ni'r bws i fyny yn y diwadd.

Dyma'r cyfarwyddwr yn deud wrtha i, 'We want you to wear some kind of costume now, because we're going to be filming.' Wel, roedd gen i gôt fawr gŵyr yn cyrraedd at fy nhraed, côt o Awstralia efo'r enw 'Dry as a bone'. Mi wisgais i honno a'r het ledar frown sy gen i pan fydda i o gwmpas y ffarm, a chydio yn y twelf bôr. Roeddwn i wedi bod yn saethu cwningod ar gyfar y criw y noson cynt ac roedd gen i ddeg cwningen ar eu cyfar, ond doeddan nhw ddim yn gwybod hynny eto.

Fe'm gosodwyd i sefyll ym mhen pella'r sied, sied oedd yn dywyll fel y fagddu, ac mi arweiniwyd y criw i mewn iddi a throi'r golau ymlaen. Yr hyn welson nhw oedd y fi yn sefyll yn y fan honno yn edrych fel drychiolaeth, y gôt fawr hir at fy nhraed, yr het ar fy mhen a'r twelf bôr ar fy ysgwydd. A dyma'r cyfarwyddwr yn deud, 'This is your farmer!'

Tasach chi'n gweld eu hwynebau nhw! Pedwar ohonyn nhw oedd yn wynion a'r lleill yn dduon ac roedd eu ll'gada nhw'n popio allan o'u penna a finna'n actio'r dyn calad fel y gofynnwyd i mi neud.

'I'm Mr Jones to you,' medda fi yn y llais mwya oedd gen i. 'You're on my farm for three days and you'd better listen to me and do everything I tell you because up here people get lost and die if they step out of line!'

Stop bach dramatig wedyn cyn mynd ymlaen: 'Tonight you'll be setting up camp on the mountain, a mile and a half's hard walking from here, so get your gear ready.'

'I've only got pumps,' medda llais bach o'r cefn.

'You'll need something better than pumps to climb the mountain,' medda fi.

'Well, that's all I've got.'

Fel y dwedais i, roeddwn i 'di saethu cwningod iddyn nhw ac roeddwn i wedi cael gorchymyn i'w taflu iddyn nhw, i'w lluchio atyn nhw fel taswn i'n bwydo'r cŵn. Doeddwn i ddim yn licio gneud hynny chwaith, teimlo ei fod o dipyn bach yn ormod, ond *shock treatment* oedd y gorchymyn, dyna oedd y drefn wrth ymdrin â nhw – trefn y plismon da a'r plismon drwg, y caredig a'r tyff, a'r un drwg oeddwn i gan na fyddwn i'n eu gweld nhw byth wedyn. Felly dyma daflu'r cwningod atyn nhw. Roeddwn i wedi'u diberfeddu ymlaen llaw ac mi es ati i ddangos iddyn nhw sut i'w blingo. Doedd ganddyn nhw ddim syniad, 'rioed wedi gweld na gneud y ffasiwn beth, 'rioed wedi gweld cwningan, 'rioed wedi gweld unrhyw beth marw a deud y gwir.

Am y mynydd â ni wedyn, ac roedd hi'n fis Hydref, yn dywyll bitsh ac yn stido bwrw. Roedd ganddyn nhw lampa bach ar eu penna ac mi gymrodd rhai ohonyn nhw awr a hannar i neud y daith. Mewn hen gorlan, corlan Pencefn, roeddan nhw'n campio a doedd ganddyn nhw 'run babell, dim ond shîts tebyg i gyrtens i'w gosod fel to uwch eu penna a'u clymu wrth walia'r gorlan. Roedd hi'n dal i fwrw'n drwm wrth iddyn nhw stryffaglian ora gallen nhw i osod y shîts ac i gynnau tanau er mwyn coginio'r cwningod. Roeddan nhw mewn grwpiau o bedwar neu bump ac roedd ganddyn nhw datws a llysia efo nhw.

Dyma fi'n deud 'mod i'n mynd adra at y wraig ac y gwelwn i nhw yn y bora. A dyma'r *army instructor* oedd efo nhw, Chris, yn deud, 'See you at first light!' Na, doedd 'na ddim *lie in* i fod i neb y bora wedyn.

Am hannar awr wedi chwech y bora dyma fynd â'r criw ffilmio i fyny ac roedd golwg fawr ar y gwersyllwyr druan. Doeddan nhw ddim wedi cysgu fawr drwy'r nos, ac o'r olwg welais i rhaid eu bod nhw wedi bwyta y rhan fwya o'r cwningod yn amrwd. Doedd ganddyn nhw fawr o syniad sut i goginio ar dân agorad.

'Right, boots on and let's go,' medda fi.

Dwi 'rioed wedi teimlo mor uffernol. Roedd gen i biti drostyn nhw yn sefyll o 'mlaen i yn y fan honno, golwg fawr arnyn nhw a'u trwyna'n rhedag, a finna wedi cael noson iawn o gwsg mewn gwely cyfforddus. Roedd un boi bach du, Pierre, yr un oedd mewn pymps, erbyn hyn yn gwisgo welingtons roedd o wedi'u cael gan un o'n hogia ni.

I fyny'n uchal wrth Lyn yr Afon roedd yr helfa i fod, a dyma ddeud wrthyn nhw, 'We're chasing ponies, wild ponies.' Mi ddwedais wrthyn nhw wedyn, os oedd y merlod yn dod amdanyn nhw, iddyn nhw neud digon o sŵn i'w dychryn. Roedd y criw yn ofnus iawn. 'Are there foxes here?' gofynnodd un. 'Are there wolves here?' holodd un arall.

Dyma fi'n esbonio mai mewn un llinell syth y bydden

ni'n ymlid y merlod ac mi ofynnais am y pump mwya ffit i ddod efo ni i ffurfio'r llinell. 'Rydan ni'n ffit hefyd,' medda Will Greenwood a Scott Quinnell, ac mi ddaeth y ddau efo ni. Roedd Will Greenwood yn dipyn bach o gocyn, ond i fyny â ni gan ddringo'r ochor serth am tua milltir nes bod dau wedi nogio ac yn eistedd wrth yr afon cyn i ni ei chroesi. Roedd un arall ar y ffôn efo'i gariad. 'Gwranda ar hwn,' medda'r boi sain, oedd yn Gymro, wrtha i ac mi clywais i o'n deud, 'I'm on this bloody Welsh hill with this bloody mad Welsh farmer. He's going to bloody kill us... If I don't come back, I love you... and if I do come back, I'm never going on these bloody trips again...'

Roeddan ni tua hannar ffordd i fyny erbyn hyn a'r criw i gyd yn dechra nogio. Doeddan nhw 'rioed wedi cerddad ymhellach na'r siop neu'r pyb agosa. Roedd Will Greenwood a Scott Quinnell yn dechra nogio hefyd a dyma eistedd i gael hoe. Roedd rhai llus yn dal ar ôl ar y mynydd a dyma fi'n dechra bwyta rhai ohonyn nhw.

'What have you got there?' holodd Will Greenwood.

'Bilberries,' medda fi a rhoi swp iddo fo wedi'u cymysgu efo pelenni bach o gachu defaid. Ac mi rhoddodd nhw i gyd yn ei geg.

'What are these?' medda fo gan eu poeri allan.

'Sheep shit,' medda fi. Roedd pawb yn chwerthin am ei ben ac mi gymrodd o'r jôc yn iawn.

Mi ddaeth o i'r top efo ni, y fo a phedwar o'r criw, ac mi gawson ni helfa fendigedig. Roeddan ni'n cadw'r lein am ryw filltir a gneud fel 'dan ni'n arfer 'i neud. Roedd y rhai ddaeth i'r top wedi mwynhau, 'rioed 'di gweld dim byd tebyg, ac roedd o'n agoriad llygad iddyn nhw. Ond roedd rhai eraill heb ddim diddordeb o gwbwl.

Ar ôl cyrraedd i lawr yn ôl roeddwn i'n dechra gneud ffrindia efo rhai ohonyn nhw, Pierre er enghraifft, y boi efo'r pymps.

'You're not such a hard man after all, are you?' medda fo wrtha i.

Dyma fo'n deud wrtha i fod ganddo fo wraig, un o Dwrci, a hogan fach, ac roedd y ddwy wedi dychwelyd i Dwrci am ei fod o'n meddwl bod gwell gobaith iddyn nhw yn y wlad honno. Roeddan nhw'n dal mewn cysylltiad. Cogydd oedd o, ond wedi colli ei waith, a lle roedd o'n byw yn Croydon alla fo ddim mentro codi allan ar ôl pedwar o'r gloch y pnawn rhag i rywun 'mosod arno. Roedd o'n codi'n gynnar a gneud be o'dd raid, siopa a ballu, yr adeg honno. Roeddwn inna'n gweld fy mywyd mor wahanol, yn agor y drws ar olygfa fendigedig dros Draeth Lafan a Biwmares. Mi wnaeth i mi feddwl mor lwcus ydw i, a gneud i mi sylweddoli mor freintiedig ydw i hefyd, yn cael byw lle'r ydw i a gneud yr hyn dwi'n ei neud.

Ar ôl dod i lawr mi gawson ni farbeciw yn y buarth ac roedd y criw i fod i dreulio noson arall yn gwersylla, ond roedd gan Will a Scott gymaint o biti drostyn nhw mi naethon nhw fwcio lle iddyn nhw mewn bync hows yn ymyl Bangor, ond doeddan nhw ddim yn gwybod am hynny.

Gyda'r nos roeddan ni'n mynd i Glwb Rygbi Bangor lle roedd Clive Griffiths, cyn-hyfforddwr tîm rygbi'r gynghrair Cymru, yn siarad efo nhw ac yn dangos ffilm o Joe Calzaghe a Nigel Benn a hogia calad eraill. Wedyn mi gawson nhw sesiwn hyfforddi efo Clive Griffiths cyn cael mynd am beint bach a chysgu yn y bync hows. Dyna theori'r plismon da a'r plismon drwg yn cael ei gweithredu, ac erbyn y diwadd roeddach chi'n teimlo eu bod nhw wedi dysgu rhywbath.

Pan welais i'r rhaglan roeddwn i'n gweld be oedd eu bwriad nhw a be oedd meddylfryd y cynhyrchwyr. Dwi'n meddwl i bedwar neu bump ohonyn nhw gael gwaith wedyn am eu bod nhw wedi cael eu hyfforddi gan bobol oedd yn gallu rhoi gwaith iddyn nhw ac wedi gweld eu potensial. Roedd y rhaglan yn fwy na rhaglan deledu, roedd hi'n brofiad gwaith i'r criw hefyd.

Beth bynnag am hynny, roedd o'n brofiad arbennig cael bod yn rhan o'r rhaglan a chael cyfarfod â phobol fel Will Greenwood a Scott Quinnell. Nid pawb fedar ddeud i'r ddau fod yn eu cegin yn yfed te a bwyta bisgedi! Ond dyna ddigon am hynny, neu mi fydda i'n cael fy nghyhuddo o *name dropping*!

Mae'r cysylltiad yn parhau. Mi fydd teulu'r Quinnells yn dod i fyny i aros yn un o fythynnod gwyliau fy mrawd, ac rydan ninna fel teulu wedi bod yn aros efo Nicola a Scott a'r plant yn ne Cymru. Maen nhw'n bobol ffeind iawn.

12

AMRYW BETHA

TAGIO

CLYWAD RICHARD PARRY Hughes ar y radio wnes i, a hynny, os dwi'n cofio'n iawn, ar fora Sadwrn a finna yn Sir Fôn. Deud oedd o na ddyla ffermwyr fod yn henffasiwn a sbio'n ôl o hyd. Roeddwn i'n teimlo ei fod yn ein dilorni, yn ein tynnu ni i lawr fel diwydiant oherwydd ein hagwedd at y tagio – at yr IDs 'ma (*electronic identification*), y sglodion.

Mi roeddan ni wedi bod yn ymwneud â'r rhain ers pum mlynadd a doeddwn i ddim yn gweld eu bod yn effeithiol. Mi ddois i adra yn teimlo na ddyla hwn gael getawê efo deud be wnaeth o, felly mi anfonais e-bost at Dylan Jones. Roeddwn i wedi gneud tipyn efo fo, wedi bod ar *Taro'r Post* yn dadlau yn eu cylch, yn esbonio nad ydyn nhw'n gweithio. Dyma atab yn dod yn ôl gan Mia, ymchwilydd Dylan, yn gofyn faswn i'n fodlon siarad ar y rhaglan.

Mi ges alwad ffôn gan Rhys Owen, Pennaeth Amaeth Parc Cenedlaethol Eryri, y bora hwnnw, a dyma fi'n digwydd deud wrtho fo 'mod i wedi clywad Richard Parry Hughes wrthi, 'mod i wedi gyrru e-bost at Dylan Jones ac y byddwn i ar *Taro'r Post*.

'Hei Jôs,' medda fo wrtha i, 'rwyt ti wedi gneud camgymeriad. Wyt ti'n gwybod pwy 'di'r boi yma?'

'Nac ydw,' medda fi, 'ond roedd o'n deud petha gwirion.'

'Wel, mae o wedi bod yn bennaeth Gwynedd, a dydi o ddim yn foi i chwara efo fo. Rwyt ti'n mynd i gael uffarn o chwip din y pnawn 'ma. Ti wedi mynd dros ben llestri rŵan.'

Doeddwn i ddim yn credu 'mod i, achos mi wyddwn 'mod i'n iawn gan 'mod i 'di cael profiad o'r tagiau, ond eto roeddwn i wedi cael siegfa bod Rhys wedi deud hyn. Mae o'n fy nabod i'n dda iawn, ac er mwyn iddo fo ddeud hynny mae'n rhaid bod y boi yma'n gymeriad cry iawn ac yn siaradwr cyhoeddus, ac ar ddiwadd y dydd dim ond ffarmwr bach cyffredin ydw i.

Alla i ddim deud 'mod i'n nyrfys, ond dwi'n meddwl bod cryndod yn fy llais wrth i mi fynd ar y rhaglan y diwrnod hwnnw.

Mi aeth y cyfweliad yn iawn, am wn i. Roeddwn i'n dangos parch at y dyn ar y dechra, fel dwi 'di cael fy nysgu, gadael iddo fo gael deud ei farn achos ei fod o'n hŷn na fi. Ond dyma fo'n dechra troi yn reit feirniadol a dechra 'nilorni i. A dyma fi'n meddwl, *hold on* am funud bach, dwi ddim yn mynd i gymryd hyn, ac roeddwn i'n dechra berwi, a Dylan, wrth gwrs, yn corddi fel y bydd o er mwyn cael dadl iawn, a doeddwn i ddim yn siŵr iawn pwy oedd yn deud be, Richard Parry Hughes 'ta Dylan, gan 'mod i wedi cynhyrfu.

Mi oedd o'n trio deud mai fel jôc roedd o wedi deud be ddwedodd o. Wedyn dyma fo'n newid cyfeiriad a deud bod loris mawr o'r Alban yn pasio drws fy nhŷ i yn cario ŵyn o'r wlad honno i ladd-dy Welsh Country Foods yn Gaerwen. Wn i ddim pam ei fod o'n deud hynny, oni bai ei fod o'n awgrymu nad oedd ein hŵyn ni, oedd yn ffarmio yn ymyl, yn ddigon da. Pan ddwedodd o hynny mi wyddwn 'mod i wedi'i ddal o achos doedd hynny'n ddim i'w neud â'r hyn roeddan ni'n dadlau yn 'i gylch o. Felly mi wnes i ddal arno fo a deud wrtho fo am ddeffro ac arogli'r coffi!

Ar ôl y cyfweliad mi ges i bobol yn ffonio ac yn dod ata i yn y sêls ac yn deud, 'Da iawn chdi, mae'n amsar inni sefyll ar ein traed a pheidio â derbyn pob dim.' Yn dilyn hynny mi ddaeth *Y Byd ar Bedwar* ar fy ôl i, ac mi fuo Eifion Glyn yma'n gneud rhaglan am y sglodion. Mae'n rhyfedd, ond dwi wedi bod yn lwcus iawn – pan dwi'n cnocio ar un drws mae un arall yn agor.

Dwi'n teimlo i mi, drwy raglan Dylan a'r *Byd ar Bedwar*, gael cyfle i roi ein hochor ni fel diwydiant. Ond weithiodd o ddim. Does 'na neb wedi gwrando. Rydan ni'n dal yn yr un sefyllfa, yn dal yn yr un cwch. Tydi'r tagio electronig 'ma ddim yn gweithio ac mae ffermwyr Cymru gyfan yn gwybod hynny ac yn credu hynny. Does dim bas data canolog gynnon ni i'w redag o'n iawn, mae o i gyd yn dibynnu ar yr hyn sy'n cael ei neud a'i gofnodi ar y ffarm, ac mae'r sglodion a'r tagiau yn cael eu colli oddi ar yr anifeiliaid. Falla'i fod o'n iawn os ydach chi mewn sied, ond dydi o ddim yn gweithio ar fynyddoedd fel y Carneddi.

Rheol Ewrop ydi hon a dwi'n credu bod Llywodraeth y Cynulliad yn ei herbyn hi. Roedd Elin Jones yn ei herbyn hi ond roedd ei dwylo hi wedi'u clymu a fedrai hi neud dim am ei bod yn rheol Ewropeaidd ac mae gwledydd Prydain yn rhan o'r Undeb Ewropeaidd. Ffermydd bychain ydi'r rhan fwya o ffermydd y cyfandir, a falla y gall o weithio yno. Un peth ydi hannar cant o ddefaid ar gaeau gwastad yn Ffrainc, matar arall ydi miloedd o ddefaid ar fynyddoedd Cymru!

Dwi ddim wedi clywad gan Richard Parry Hughes ers y rhaglan, ond falla y clywa i ganddo fo ar ôl cyhoeddi'r llyfr yma! Falla medrwn ni gyfarfod am banad – neu beint.

MIAMI

Mi aeth pedwar ohonon ni am ychydig ddyddia i Miami – Rhian a'i chwaer Catherine a finna a ffrind i mi, Mark Hughes. Mynd ar *fly drive* efo un o'r cwmnïau gwyliau wnaethon ni, hedfan i Fort Lauderdale a heirio car yn y fan honno. Roedd hi'n bedair awr o siwrna o'r maes awyr i Miami ac roedd y car yn un mawr Americanaidd a'r ffyrdd yn dda. Roeddan ni'n gneud amsar go dda ac yn fflio mynd.

Roedd Mark isio bwyd a dyma stopio mewn caffi i gael brecwast mawr a loetran yno am ryw awr. Mae pawb sy'n mynd i America yn cael ticad teithio ar gyfar y tollbyrth, gan fod yn rhaid talu am ddefnyddio'r priffyrdd, ac mi ddwedodd rhyw Americanwr wrthon ni yn y caffi ein bod yn lwcus inni stopio oherwydd y basa'r ticad wedi dangos i'r heddlu ein bod wedi gyrru'n rhy gyflym ac y basan ni wedi cael ffein am oryrru ac am deithio'n rhy hir heb stopio, er nad oeddan ni wedi gweld yr un plismon yn unman.

Dyma gyrraedd yr hotel yn Miami a doedd o ddim ymhell o ardal dlawd y ddinas, *downtown Miami*, felly dyma benderfynu mynd yno i weld y lle, Mark efo'r map a finna'n dreifio, er nad oedd gan yr un ohonon ni syniad ble i fynd. Mi welodd Rhian arwydd yn deud *'free concert'* a'r grŵp enwog Aerosmith ymhlith y rhai oedd yn cymryd rhan felly dyma benderfynu mynd i chwilio am y lle hwnnw. Roedd y derbynnydd yn y gwesty wedi deud wrthon ni am beidio mynd i rai llefydd gan y basan nhw'n gwybod mai car wedi'i heirio oedd gynnon ni ac y basan ni'n cael ein mygio, ond roedd tynfa'r cyngerdd yn ormod.

Welais i 'rioed gymaint o ffyrdd yn fy mywyd a'r rheini'n bump a chwe lên. Doedd fawr o geir o gwmpas ac roeddan ni mewn ardal dlawd ar y naw. Dyma ddod at oleuada a gorfod stopio. Yr eiliad nesa dyma ddyn aton ni: 'Can I do your windows, man?'

Roedd y ddwy yn y tu ôl, Rhian a Catherine, yn gweiddi

arnon ni i'w anwybyddu o, ond falla mai malu'r ffenast fasa fo felly dyma ddeud 'Olreit' ac mi olchodd y ffenestri blaen cyn i'r goleuada newid. Mi rois i ddwy ddoler iddo fo am ei waith ac ymlaen â ni. Dyma ddod at oleuada wedyn a gorfod stopio eto. Dyma ddyn arall yn camu aton ni: 'Can I do your windows, man?' Dyma fi'n deud bod dyn arall wedi llnau y rhai blaen yn barod. 'I'll do the back ones for you,' medda fo a dyna ddwy ddoler arall yn newid dwylo. Ymlaen â ni at olau coch arall, a dyn yn camu allan. Deud wrtho fo bod y ffenestri wedi'u llnau, a rhag ofn iddo fo fyllio ac ymosod ar y car mi ddreifiais ymlaen drwy'r golau coch. Roeddwn i wedi panicio braidd, a deud y gwir, achos roedd hen awyrgylch annifyr yn yr ardal, fel tasach chi ddim yn gwybod be oedd yn mynd i ddigwydd nesa, ac er ein bod ni mewn car roeddan ni'n dal i'w deimlo fo.

Dyma gyrraedd yn ôl i'r hotel yn y diwadd heb ddod o hyd i'r *free concert* a'r derbynnydd yn gofyn lle roeddan ni 'di bod. Ninna'n trio deud wrtho fo. 'Jesus,' medda fo, 'where you've been they'd shoot you for three dollars!'

Yn hwyrach y noson honno roeddan ni'n eistedd yn y bar ac roedd sgrin fawr o'n blaena, a be ymddangosodd ar y sgrin ond manylion am y *free concert* roeddan ni wedi bod yn chwilio amdano, enwau pawb oedd yn cymryd rhan a lluniau o'r miloedd oedd wedi tyrru yno o bobman.

RASYS CŴN

Ym myd rasys cŵn mae 'na system bwyntiau yn cael ei gweithredu er mwyn cael ymddangos yn y treialon cenedlaethol, y 'Welsh National', ac yno y dewisir y tîm i gynrychioli Cymru yn y treialon rhyngwladol.

Yn 2006 mi ges i ddigon o bwyntiau i gael mynd i'r treialon cenedlaethol, a gâi eu cynnal y flwyddyn honno yng Nghaerdydd.

Roedd ffrind i Dad, Wyn Gruffydd, yn mynd bob blwyddyn ac mi fwciodd o ddwy noson iddo fo'i hun ac i Dad a finna. Roeddan ni'n aros mewn llefydd gwely a brecwast gwahanol ond i gyd yn perthyn i'r un perchennog.

Efo criw o ochra Pentrefoelas y ces i fy landio, ac roeddwn i'n rhannu stafall efo Alwyn Williams (Corrach) o Bentrefoelas, un oedd wedi bod yn nhîm Cymru, ac un arall, Carl o Flaenau Ffestiniog.

Ar ôl mynd i'r treialon yn y pnawn dyma fynd yn ystod y min nos i dafarn heb fod ymhell i gael bwyd. Roedd llawer o dynnu coes yno ac mi ofynnodd un o'r hogia i mi, 'Wyt ti'n gwbod bod Corrach yn chwyrnu'n ofnadwy?' Doeddwn i ddim, wrth gwrs, ac ro'n i'n meddwl mai tynnu coes roedd o gan ei fod o'n gwybod ein bod ni'n rhannu stafall.

Roedd dau wely yn y stafall, un i Corrach ac un i mi, a Carl yn cysgu ar fatras ar y llawr gan fod pobman yn llawn oherwydd y treialon.

Y funud y trawodd o'i wely dyma Corrach yn dechra chwyrnu, ac mi feddyliais mai tynnu coes roedd o. Dim o'r fath beth! Roeddwn i angan noson dda o gwsg gan 'mod i'n rhedag y bora wedyn, ond chysgais i'r un winc yn fy ngwely y noson honno. Dwi 'rioed wedi clywad y fath sŵn. Roedd y waliau'n crynu.

Mi gysgodd Carl yn syth, wedi arfer mae'n debyg, ond fedrwn i ddim. Mi fues i'n gorwedd yn fy ngwely am awr, yn gweiddi bob hyn a hyn ac yn codi i ysgwyd y chwyrnwr. Ond doedd dim yn tycio ac yn y diwadd mi godais a mynd â'r dillad gwely efo fi i'r lolfa a thrio cysgu ar y soffa yn y fan honno. Ond roeddwn i'n dal i glywad y chwyrnu drwy'r waliau.

Mi gysgais am ryw dair neu bedair awr cyn clywad twrw, a rhwng cwsg ac effro doeddwn i ddim yn siŵr iawn be oedd yn digwydd, ond y funud nesa roedd y drws wedi agor a dynas y lle, gwraig y dyn welson ni'r diwrnod cynt, yn sefyll yno a phan welodd hi fi dyma hi'n sgrechian dros y lle. Mi daflais y dillad oddi arnaf a neidio ar fy nhraed. Dydw i byth yn gwisgo pyjamas yn fy ngwely, dim ond fy nhrons, a phan welodd hi fi felly dyma hi'n sgrechian yn waeth fyth!

'Were you snoring?' medda hi wrtha i.

'Snoring?' medda fi. 'Listen!'

Ac roedd sŵn chwyrnu mawr yn dal i ddod o'r stafall lle roedd Corrach yn cysgu.

Ches i ddim hwyl arni yn y treialon, tipyn o lanast a deud y gwir. Mi allwn i feio'r diffyg cwsg am hynny, ond dwi ddim yn meddwl y baswn i wedi gneud fawr gwell taswn i wedi cysgu drwy'r nos. O wel, mi ddaw cyfle eto gobeithio, ond er ei fod o'n hen foi iawn, fydda i ddim yn rhannu llety, heb sôn am stafall, efo Corrach y tro nesa!

HERNIA

Diawl o beth brwnt, a dwi'n cofio'n iawn sut y ces i o hefyd. Mae gynnon ni ffridd, 'ffrith' fel y bydda i'n ddeud, yng nghanol y mynydd, sef Ffridd Pen Cefn Crwn, ac mae hi'n berffaith gron. Roeddan ni'n arfer mynd â gwarthaig yno ar un adeg. Mi aeth llo'n sownd yno ac mi es i ati i drio ei ryddhau o fy hun, mwya gwirion, achos roedd o'n llo mawr, ac wrth i mi stryffaglio efo fo mi deimlais y poen mwya ofnadwy yng ngwaelod fy mol, fel tasa rhywun yn sticio cyllell boeth yn'o i. Roedd 'na lwmpyn bach yno ac mi feddyliais mai wedi gneud rhywbath i'r mysl oeddwn i ac y bydda fo'n mendio. Roedd Rhian yn trio 'mherswadio i i fynd at y doctor ond roeddwn i'n meddwl y basa fo'n gwella, ond wnaeth o ddim, mi aeth yn fwy ac yn fwy ac roedd o'n achosi traffarth a hitha'n dod yn adeg wyna a silwair.

Mi es i weld y doctor yn y diwadd ar ôl diodda digon ac mi ddwedodd fod gen i hernia ac y bydda o leia chwe mis o aros cyn cael triniaeth. Ond mi awgrymodd y basa'n beth da i mi fynd yn breifat i weld yr arbenigwr yng Nghanolfan Feddygol Gogledd Cymru, talu dau gan punt a falla y basa fo'n fodlon rhoi triniaeth i mi yn gynt ar y gwasanaeth iechyd.

Mi gytunodd i neud hynny ym mis Tachwedd, pan oedd hi'n dawel ar y ffarm. Roedd tri arall yn yr un ward â fi'n cael yr un driniaeth, tri oedd yn hŷn na fi, yn eu chwedega hwyr. Roeddan ni i gyd yn cael triniaeth yr un diwrnod, gan ddechra efo'r hyna, a fi oedd yr ola i fynd felly. Y noson honno mi ddaeth Rhian a'i mam i 'ngweld i ac roeddwn i'n dal ymhell i ffwrdd a welais i mohonyn nhw, ond mi welodd y dyn yn y gwely 'gosa nhw a dychryn am ei fywyd nes ei fod o'n gweiddi dros y lle. Roedd y ddwy wedi bod mewn cnebrwng, a'r hyn welodd o oedd y ddwy yma mewn cotiau hir, du ac yn gwisgo lipstic coch yn sefyll uwch fy mhen, ac mi feddyliodd mai dwy fampeir oedd yno. A phan fydd galw am hynny, dwi'n dal i atgoffa'r ddwy o farn y boi amdanyn nhw!

13

BEIRNIADU

GALWAD FFÔN OEDD y dechra, be arall?! Mae'n syndod cymaint o betha sy'n dechra efo galwad ffôn. Dyn o'r enw Ben oedd yna, yn gofyn fydda gen i ddiddordeb mewn mynd i Fanceinion am gyfweliad gan eu bod yn edrych am feirniaid i'r rhaglan *BBC Young Farmer of the Year*, rhaglan yn y gyfres *Young Talent*.

Mi ges i dipyn o sioc a deud y gwir, eu bod nhw'n gofyn i mi, ond mi ddwedodd eu bod wedi holi amryw gan fod yn rhaid cael hyn a hyn o enwau ar gyfar y cyfweliadau. Felly dyma benderfynu cymryd diwrnod i ffwrdd o waith y ffarm, a hynny ar gost y BBC. Be well?!

Yng nghanolfan y BBC, heb fod ymhell o'r Lowry, roedd y cyfweliad. Mae hi'n ganolfan newydd anferthol a chlamp o lyn yn y canol. Roedd yno dros hannar dwsin o adeiladau mawrion ac mi fuo'n rhaid i mi ffonio i ddod o hyd i'r adeilad iawn, lle roedd 'na nifer fawr o stiwdios a swyddfeydd, cartra rhaglenni megis *Blue Peter* a *Dragons' Den*.

Mi gyrhaeddais yn ddiogel a mynd trwy'r rigmarôl diogelwch cyn cael fy arwain i swyddfa a chyfarfod boi o'r enw Curtis, cynhyrchydd y rhaglan, un hoyw oedd yn gwisgo *make-up* a *false tan*, hen foi iawn. Mi holodd fi oeddwn i'n gyfforddus efo fo, meddwl mae'n siŵr, gan 'mod i'n ffarmwr o ogledd Cymru, nad oeddwn i 'rioed wedi cyfarfod person hoyw o'r blaen! Mi aeth allan i nôl panad o goffi i mi a 'ngadael i ar 'y mhen fy hun. Ar y ddesg roedd

143

swp o bapura a dyma ddechra busnesu a gweld enwau'r rhai oedd i gael eu cyfweld, pobol fel Adam Henson o'r rhaglan *Countryfile* a rheolwr ffermydd stad y Duke of Westminster. Ac wrth weld y rhestr, dyma feddwl nad oedd gen i obaith mul o gael y job.

Mi ddaeth Curtis yn ei ôl efo'r banad ac roedd Ben, y prif ddyn camera, efo fo, a dyma ddechra holi cwestiyna i mi am yr hyn roeddwn i'n ei neud ar y ffarm a phetha felly. A dwi'n meddwl i'r cyfweliad fynd yn eitha, a chyn mynd mi ddwedodd Curtis y basa'n syniad da i mi weld cynhyrchydd gweithredol y rhaglan, Dorian, gan 'mod i wedi teithio mor bell i ddod am gyfweliad.

Un hoyw oedd Dorian hefyd ac ar ôl i mi ysgwyd llaw efo fo mi ddwedodd, 'I've not had my hand shaken like that in years!' Un clên iawn oedd o ac mi gerddodd efo fi i lawr o'r adeilad gan ddiolch i mi am ddod mor bell a deud 'mod i wedi gneud argraff dda ar Curtis a Ben yn y cyfweliad ac y cawn wybod fy nhynged ymhen wythnos neu ddwy.

Ymhen pythefnos dyma alwad ffôn yn cynnig y job i mi, a finna'n derbyn ac yn trefnu dyddiada a ballu. Mi fydda'n rhaid i mi fod oddi cartra am bedwar diwrnod, ond cyn hynny roedd yn rhaid mynd i Fanceinion drachefn. Roedd cant o ffermwyr ifanc yn y gystadleuaeth ac roeddan nhw wedi'u tynnu nhw i lawr i ugian. Fy nhasg gynta i a'r beirniad arall, David Finkle, nad oeddwn i 'rioed wedi'i gyfarfod, oedd tynnu'r ugian i lawr i bedwar ar gyfar y rhaglan.

Mi ges fanylion yr ugian ymlaen llaw ac roeddan nhw'n amlwg yn griw o rai da, rhwng un ar bymthag a phump ar hugian oed, yn fechgyn a merchaid. Roedd yn rhaid i Dave a fi eu cyfweld ac roedd tasgau iddyn nhw hefyd, cwis am wahanol agweddau ar ffarmio, ac yna nifer o gelfi ac offer ffarm roedd yn rhaid iddyn nhw eu hadnabod, megis offer tynnu llo a phetha felly. Am ryw reswm roeddan nhw fel tasan nhw fy ofn i, hwyrach am fod gen i lais mawr cry, ond roedd ganddyn nhw atebion da – roeddan nhw'n ugian o rai arbennig ac roedd hi'n andros o anodd eu tynnu i lawr i bedwar.

Roedd amball un braidd yn ddistaw a'r bobol teledu yn nodi hynny, ond roedd Dave a finna'n deud mai'r ffarmwr gora oeddan ni'n chwilio amdano, nid seren deledu, ac mi gawson ni'n ffordd.

Ar ôl cymryd popeth i ystyriaeth dyma benderfynu ar y pedwar: Seth Blakey, deunaw oed, o Clitheroe, Rhys Lewis, pedair ar hugian, o Gastell Nedd, William Alec Ives, pedair ar bymthag, o Swydd Bucks, ac un ferch, Robynne Strawbridge, un ar hugian, o Ddyfnaint. Gweithio ar ffarm a mynd allan i gneifio oedd Seth, ffarmio efo'i fam roedd Rhys, hogyn dymunol dros ben, ac un bychan oedd William, ond boi hyderus tu hwnt, yn fwy na llond ei drywsus! 'Feisty female' oeddan ni'n galw Robynne, tipyn o gês, personoliaeth gre ac yn rhoi'r atebion roedd y bobol teledu yn eu hoffi.

Wedyn mi ddewiswyd un wrth gefn – fu dim rhaid ei ddefnyddio ond mi gafodd ddod i Suffolk am y pedwar diwrnod o ffilmio.

Roedd y rhai na chawson nhw eu dewis yn eitha siomedig ac mi ofynnwyd i ni siarad efo nhw. Mi ddwedais i wrthyn nhw mor dda oeddan nhw, eu bod wedi'u dewis o dros gant i gychwyn ac y gallen nhw fod yn falch ohonyn nhw eu hunain. Roeddwn i'n disgwyl i Dave Finkle ddeud rhywbath tebyg, ond yr hyn wnaeth o oedd cwyno bod y safon yn isel a'i fod o'n siomedig, felly aeth hynny ddim i lawr yn dda iawn efo nhw!

Roedd Suffolk yn andros o bell, diawl o ddreif yno, tri chan milltir, cychwyn am hannar awr wedi wyth ar ddydd Iau a chyrraedd erbyn pedwar. Hannar awr cyn cyrraedd mi ges i alwad ffôn gan Curtis yn deud y bydda fo yn yr hotel yn aros amdana i er mwyn mynd dros y sgript.

Sgript, meddyliais, pa sgript? Dwi 'rioed 'di siarad o sgript ac roeddwn i'n dechra difaru 'mod i wedi cytuno i neud y job.

Beth bynnag am hynny, dyma gyrraedd yn saff a chyfarfod Curtis a rhyw foi arall, Sam, o'r BBC a dyma ddarganfod yn fuan iawn nad oedd y sgript yn ddim byd ond datganiada roedd yn rhaid i ni eu gneud ar ddechra'r rhaglan, datganiada oedd yn para hyn a hyn o eiliadau, fel 'Dwi'n meddwl y dyla'r ffermwyr gora fod yn gallu gneud...' Datganiada fel yna ac nid sgript am y rhaglan gyfan fel roeddwn i wedi'i ofni. Ond wn i ddim ai blinder neu be oedd o ond mi ges i andros o draffarth dysgu'r ychydig frawddega. Mi gwrddais â chyflwynydd y rhaglan, George Lamb, ac roedd o'n foi dymunol iawn, a thros beint neu ddau mi aeth drwy'r sgript efo fi fel 'mod i'n teimlo'n well. Wedyn mi ges i alwad ffôn gan Curtis yn deud y bydda tacsi yn dod i fy nôl am wyth o'r gloch fora trannoeth, ac felly mi ges i beint neu ddau ecstra gan nad oedd raid dreifio'r diwrnod wedyn. Ond roeddwn i yn fy ngwely tua deg, wedi blino'n lân.

Drannoeth, ar ôl brecwast da lle roedd bron popeth allach chi feddwl amdano ar gael, dyma fynd am y stiwdio ac mi 'chrynes am fy mywyd pan welais i'r lle. Roedd y cyfan yn digwydd mewn lle tebyg i hangar anferthol ac roedd tua hannar cant o bobol y BBC o gwmpas, yn ysgrifenyddion a phobol y golau a'r sain a'r camerâu a phopeth. Dim byd tebyg i *Fferm Ffactor* na *Snowdonia 1890*. Roeddwn i yn y *comfort zone* yn y fan honno ond roedd hyn yn hollol wahanol. Roeddwn i 'mhell o adra ac mewn sefyllfa hollol ddiarth i mi, ac yn teimlo'n anghyfforddus iawn.

Y peth cynta ar yr agenda oedd gneud y datganiada oedd yn y sgript, y *takes* fel roeddan nhw'n eu galw nhw, cyn i'r cystadleuwyr gyrraedd. Roedd Dave Finkle wedi bod yn rheolwr ffarm i Jimmy Doherty, welwyd yn weddol ddiweddar ar y rhaglan *Jimmy's Farm*. Ond roedd o erbyn hyn yn fwy o gyflwynydd teledu nag o ddim byd arall, ac er ei fod o wedi bod yn ddarlithydd mewn coleg amaethyddol hefyd cyn troi i fyd teledu, doedd o ddim yn *hands-on* fel roeddwn i. Y fi oedd y ryff a fo oedd y smŵdd, allach chi ddeud.

Y peth nesa oedd i mi gael fy nghyflwyno i Chesney, fy 'rhedwr' am y pedwar diwrnod. Doedd gen i ddim syniad be oedd rhedwr ond mi esboniwyd i mi, beth bynnag oeddwn i isio, hyd yn oed panad o de, doedd ond rhaid i mi ofyn i Chesney. A dyma fi'n meddwl, Arglwydd mawr, os dwi isio panad mi alla i nôl un fy hun. Ond byd fel yna ydi o, byd hollol ddiarth i mi, a byd eitha gwahanol i deledu yng Nghymru hefyd faswn i'n deud.

Allan â ni o'r hangar i eistedd mewn dwy gadair ar gyfar gneud ein datganiada o be oeddan ni'n ddisgwyl ei weld a be oedd nodweddion ffarmwr da. Mi gynigiodd Dave fynd yn gynta, chwara teg iddo fo. Ond wedyn dwi'n siŵr ein bod ni wedi ffilmio'r cychwyn yma tua ugian o weithia. Allwn i yn fy myw ddeud y peth yn iawn, roeddwn i'n methu bob tro. Roeddwn i jyst yn mynd yn blanc a dwi 'rioed 'di teimlo mor swp sâl. Roeddan nhw wedi gwario arna i, treulia a phetha felly, ac mi holais fy hun oeddwn i wedi cymryd gormod ar fy mhlât, wedi cytuno i neud rhywbath na fedrwn i ddim 'i neud. Nid y beirniadu oedd yn fy mhoeni, roeddwn i'n ddigon hapus efo hynny – y blydi sgript oedd y drwg!

Dwi 'di gneud lot o deledu ond 'rioed wedi cael y teimlad yma. Tro dy gwt a dos adra, dyna fel roeddwn i'n teimlo. Beth bynnag, mi gyrhaeddodd George Lamb a gofyn, 'What's the problem, Jones?' A finna'n atab, 'Can't get these bloody lines.' Wedyn mi ddaeth Curtis ac un neu ddau arall draw ac roedd hynny'n gneud i mi deimlo'n waeth.

Mi 'nes i ddeud wrthyn nhw mai Cymraeg oedd fy iaith gynta a dyma George yn deud nad oedd raid i mi ddeud y geiria yn union fel roeddan nhw yn y sgript. 'Get the key words in, that's all,' medda fo ac mi allwn i ddeud be oedd angan ei ddeud yn fy ngeiria fy hun. Ac unwaith y ces i anghofio am y sgript roeddwn i'n iawn.

Rhyw awran gymrodd y cyfan wedyn, cyn mynd at y cystadlu.

Y gystadleuaeth gynta i'r pedwar oedd dôsio pum dafad, trin eu traed a'u cneifio, a gan mai fi oedd y boi defaid yn hytrach na Dave dyma fo'n deud wrtha i am gymryd y blaen fel beirniad yn y gystadleuaeth yma ac y bydda fo'n gneud yr un peth yn y nesa.

Tipyn o beth i'r cystadleuwyr ifanc oedd gneud y tasgau o dan bwysa ac roeddan nhw, wrth gwrs, yn gneud camgymeriadau, yn anghofio rhoi'r strap am y dôsus fel nad oedd gynnon nhw ond un llaw i ddôsio, petha felly. Ond dyma ddod at y cneifio ac roeddan nhw'n cneifio bob yn ddau, Seth a William i ddechra, yna Robynne a Rhys.

Roedd Seth yn hollol broffesiynol, wedi arfer mynd allan i gontractio adeg cneifio, ond doedd William 'rioed wedi bod wrthi o'r blaen, a defaid anodd ar y naw i'w cneifio oeddan nhw – Dorsets efo cnu fel tedi bêr drostyn nhw i gyd. Roedd hi'n uffarn o job eu cneifio ac roedd yn rhaid i bob cystadleuydd gneifio'r bump o fewn yr amsar roddwyd iddyn nhw.

Doedd gan William fawr o glem, roedd o'n colli'r plot yn llwyr ac yn mynd o un rhan o'r ddafad i'r llall yn lle cneifio'n drefnus a thaclus. Y funud nesa dyma fo'n torri blaen teth un o'r defaid! Roeddwn i wedi deud wrthyn nhw y baswn i'n eu stopio taswn i'n gweld rhywbath nad oeddwn i'n hapus efo fo, ac roedd yn rhaid stopio'r cyfan gan fod y gwaed ym mhobman, a ffilmio neu beidio, yr anifeiliaid oedd yn bwysig. Roedd y ffilmio'n mynd ymlaen wrth iddyn nhw gneifio, wrth gwrs, ac roedd y tensiwn yn anhygoel, a hyn i gyd yn gneud petha'n waeth. Mi ddaeth y ffariar yno i drin y ddafad ac mi gafodd Seth fynd yn ei flaen i orffan gan ei fod o'n cneifio'n ardderchog.

Roedd perchennog y defaid yno ac yn gneud petha'n annifyr i ni'r beirniaid ac i'r cystadleuwyr, ond mi ddaeth hi ata i a diolch i mi am stopio'r sioe pan gafodd y ddafad niwad. Mi orffennodd Seth bedair o'r defaid ond roedd ei amsar ar ben cyn iddo daclo'r bumed. Ond roedd o wedi gneud job reit dda ar y pedair arall. Tro Robynne a Rhys oedd hi nesa. Doedd yr un o'r ddau wedi cneifio o'r blaen ond mi wyddai'r ddau sut i drin y peiriant ac i ffwrdd â nhw. Mi gafodd Rhys hwyl go lew arni ond mi adawodd y penna a'r coesa ôl heb eu cneifio. Roedd y defaid yn edrych fel llewod! Mi gychwynnodd Robynne yn dda, dechra efo'r coesa ôl, ond yn fuan iawn roedd hithau fel William heb gynllun na threfn ac yn neidio i bobman. Doedd ganddi ddim syniad ac roeddwn i rhwng dau feddwl be i'w neud gan fod cymaint o densiwn yn y lle beth bynnag. Ond dyma roi winc ar y cynhyrchydd a phwyso drosodd i ddiffodd y peiriant a deud wrthi fod yn rhaid i mi neud hynny am nad oedd ganddi syniad be oedd hi'n ei neud.

Wel, dyma'r dagra'n dechra llifo. Roedd hi'n torri'i chalon a finna'n meddwl, o, Mam bach, be dwi 'di neud rŵan? Roeddwn i wedi bod yn reit galad efo nhw – roedd disgwyl i mi fod felly, a beth bynnag, nid rhywbath neis-neis ydi ffarmio, mae o'n fusnas calad a fedrwch chi ddim torri i lawr a chrio bob tro mae rhywbath yn mynd o'i le. Mi allech fod yn crio am rywbath bob dydd. Ond dyna fo, roedd y sefyllfa yn un anodd, y ffilmio'n mynd yn ei flaen, pawb yn sbio arni a hitha 'rioed wedi bod mewn sefyllfa fel hon o'r blaen ac yn gneud rhywbath nad oedd hi 'rioed wedi'i daclo o'r blaen.

Dyma fi ati a chael gair bach yn ei chlust ac mi ddaeth ati ei hun yn iawn. Chwara teg i Rhys, roedd golwg y diawl ar ei ddefaid o ond o leia mi orffennodd ei dasg.

Roedd y dasg gynta ar ben a phawb yn mynd allan, a finna a Dave yn cael mynd i ryw gwt bach i drafod y cystadleuwyr. System diarddel oedd hi yn y gystadleuaeth yma fel yn *Fferm Ffactor*. Roeddan ni wedi penderfynu na fydda neb yn mynd allan ar ôl y sialens gynta ond doeddan nhw ddim yn gwybod hynny.

Allan â ni wedyn ac roeddwn i isio mynd i'r toilet. Mi ddwedodd un o'r bois wrtha i am fynd yr holl ffordd rownd y cefn neu mi fyddwn i'n gorfod wynebu'r teuluoedd. Heb yn wybod i ni, roedd teuluoedd y cystadleuwyr i gyd efo nhw, yn famau a thadau ac ati, ond roeddan ni'n cael ein cadw'n ddigon pell oddi wrthyn nhw.

Roedd o'n bell i fynd rownd ac mi feddyliais nad oedd gen i ddim byd i'w ofni felly allan â fi trwy'r drws dur ac at y toilets. Roedd hi'n ddiwrnod braf ac roedd y teuluoedd yn sefyllian o gwmpas yn siarad, a dyma finna'n cerddad drwyddyn nhw i'r toilet. Wel, ches i 'rioed gymaint o *dirty looks* yn fy mywyd ag a ges i'r bora hwnnw. Heb yn wybod i ni roeddan nhw wedi clywad ar y monitors yn y stiwdio neu'r *cutting room* bopeth roeddan ni fel beirniaid wedi'i ddeud am eu plant pan oeddan nhw wrthi efo'u tasgau, ac roeddan ni wedi deud petha reit galad. Dwi'n cofio mam Rhys yn arbennig yn edrych arna i – tasa edrychiad yn gallu lladd, mi faswn i'n gelain yn y fan a'r lle. Dyna pam roedd y dyn wedi deud wrtha i am fynd rownd i'r toilet, a rownd yr es i wrth ddod oddi yno!

Doeddwn i ddim yn deall ar y pryd, ond roedd adwaith y rhieni i'r hyn oeddan ni'n ei ddeud yn rhan o'r rhaglan. Roeddan nhw'n ffilmio'r teuluoedd yn ein gwylio ac yn adweithio i'n beirniadu ni.

Dyma fi'n deud wrth Curtis be oedd wedi digwydd a dyma fo'n chwerthin a deud, 'Do you know what they call you? The Welsh bastard!' Roeddwn i'n teimlo'n uffernol. Dwi 'di cael 'y ngalw yn lot o enwau dros y blynyddoedd, ond 'rioed yn *Welsh bastard*! Ond dyna fo, wedi gofyn inni fynd yno i feirniadu roedd y BBC, nid i neud ffrindia.

Dyma fynd am y diarddel wedyn. Pob un yn sefyll o'n blaena ni a ninna'n deud mor siomedig oeddan ni ynddyn nhw, mor sâl oeddan nhw wedi bod wrthi a bod angan iddyn nhw feddwl yn fwy gofalus be oeddan nhw'n ei neud. Deud wedyn y dylsa un ohonyn nhw fod yn gadael y gystadleuaeth ond ein bod wedi penderfynu cadw'r pedwar i mewn am y tro. Mi ofynnodd George, y cyflwynydd, pwy fasan ni wedi'i yrru adra tasa un yn gorfod mynd. A dyma finna'n atab 'William', am ei fod wedi torri'r deth. Wel, mi ges i edrychiad gan hwnnw wedyn, fel tasa fo'n deud 'Pwy uffarn wyt ti i ddeud wrtha i?' Roedd o'n dipyn o gocyn ac yn teimlo'n hyderus 'i fod o yno i ennill! Ond fo fasa'n haeddu mynd, beth bynnag oedd yr hogan wedi'i neud. Mi wnaeth hi stomp ohoni, ond y fo dorrodd deth y ddafad ac roedd gneud hynny'n waeth na dim arall allai fod wedi digwydd. Roedd Dave yn cytuno ac yn deud yr un peth, a wnaeth hynny ddim plesio William chwaith!

Un rhaglan awr oedd yn cael ei gneud, a phob sialens yn dilyn ei gilydd fel tasa'r cyfan yn digwydd yr un diwrnod, ond doedd o ddim.

Yr ail ddiwrnod oedd diwrnod sialens y moch: pymthag o foch a ni fel beirniaid yn dewis y pump oeddan ni'n ei feddwl fydda ora at fridio. Roedd y cystadleuwyr yn gorfod gneud yr un peth, ac mi ddewisodd William yr un pump â ni ac ateb bob cwestiwn ofynnwyd iddo fo – roedd o'n *bang on* ar bob un. Robynne oedd y nesa ac mi wnaeth hi'n dda hefyd. A deud y gwir, roedd y pedwar wedi gwella, roedd 'na lai o densiwn yn yr awyr ac roedd hi'n dasg nad oedd mor dechnegol â chneifio. Roeddan ni fel beirniaid wedi ymlacio'n fwy hefyd ac wedi cael sgwrs efo'r pedwar ar ôl y diwrnod cynta i'w hannog ac i bwysleisio eu bod yn genhadon dros ffarmio.

Ond roedd yn rhaid dewis un i adael. Mi fydda wedi bod yn anodd dewis yn dilyn tasg barnu'r moch, ond y dasg nesa oedd llwytho'r pymthag mochyn i drelar, eu gyrru i'r ring, bacio'r tractor a'r trelar, gosod y giatiau o bobtu a'u dadlwytho.

William aeth gynta ac mi iwsiodd 'i frêns a rhoi gwellt ar lawr y trelar ac ar gefn y trelar oedd yn dod i lawr i neud llwyfan i'r anifeiliaid gerddad ar hyd-ddo, ac mi aeth y moch i mewn yn syth. Tro Robynne oedd hi nesa ac mi wnaeth hitha'r un peth, ond wnaeth hi ddim hel y gwellt oddi ar y giât wedyn a fedrwch chi ddim cau'r trelar yn iawn os oes gwellt yn dal arno fo. Mi wnaeth Rhys yn dda hefyd, a Seth, ond ei fod o dipyn bach yn *rough and ready*. Roedd pob un wedi gneud yn dda, tipyn gwell na'r diwrnod cynta, ond, i mi, William oedd yn sefyll allan. Roedd o wedi rhoi'r stomp wnaeth o efo'r defaid y tu ôl iddo fo ac roedd o'n ardderchog.

I mewn i'r stafall â ni i benderfynu pwy oedd yn mynd. Roeddan ni'n dau'n gytûn mai William oedd y gora ar y diwrnod ond roedd yn rhaid cymryd tasgau'r diwrnod cynt i ystyriaeth. Roeddan ni'n gytûn hefyd mai Robynne oedd y sala. Roedd hi wedi gneud yn eitha y diwrnod cynta nes iddi neud llanast o'r cneifio a dechra crio. Roeddwn i'n teimlo, tasa hi wedi gafael yn y peiriant ar ôl i mi ei ddiffodd a deud ei bod hi am ddal ati, y basa hi wedi ennill pwyntiau, ond wnaeth hi ddim. Roedd hi wedi torri 'i chalon a hynny wnaeth y gwahaniaeth, a'r ffaith fod William wedi cael y pum mochyn yn union fel ni, a fo oedd yr unig un i gael y pump.

Ati wedyn i ddiarddel. Wel am job. Roeddwn i'n gwybod erbyn hyn sut roedd Dai Jones a Wynne Jones yn teimlo ar *Fferm Ffactor*. Ond dyma gyhoeddi mai Robynne oedd yn gorfod mynd. Roedd yn bechod gen i drosti a deud y gwir, ond roedd yn rhaid bod yn deg efo'r cystadleuwyr i gyd.

Y dasg nesa oedd atab cwestiyna, un cystadleuydd ar y tro a'r ddau ohonon ni'n holi. Tebyg iawn i *Fferm Ffactor* a deud y gwir. Cadair yn y canol a ninna'n sefyll o bobtu, a'r goleuada'n gry a strôbs ym mhobman. Wedyn roeddan ni'n gofyn cwestiwn am yn ail ac os oeddan nhw'n anghywir roedd digon o amsar i ofyn iddyn nhw pam eu bod wedi rhoi yr atab roeson nhw.

Wel, mi aeth y tri yn ffliwt yn y dasg yma, ac efo fi roeddan nhw'n mynd felly, nid efo Dave. Wn i ddim pam. Efo'r *Welsh bastard*! Beth bynnag, roedd hi'n agos rhyngddyn nhw. Roeddwn i'n teimlo bod Rhys wedi gneud digon i fynd drwodd i'r ffeinal, i'r ddau ddwetha – doedd o ddim wedi dangos ei hun yn wych ond roedd o wedi bod yn gyson. 'Steady Eddie' oeddan ni'n ei alw fo. Felly roedd hi rhwng William a Seth i fynd allan. Deunaw oedd Seth ac mi gollodd ei ben yn llwyr yn y cwestiyna. Roedd hi'n agos iawn rhwng y ddau ond pan ofynnwyd i William sut roedd o'n gweld byd amaeth mi roddodd atab ardderchog tra bod Seth yn gneud dim ond sôn am ei ddiadell o ddefaid adra. Doedd o ddim yn gweld yn ehangach na hynny, ddim yn gweld y dylanwad alla fod gynno fo tasa fo'n ennill y gystadleuaeth, dylanwad ar ffermwyr ifanc eraill trwy wledydd Prydain. I mi doedd o ddim yn ddigon aeddfed a hyderus i fod yn enillydd.

Felly dyma gyhoeddi mai Seth oedd yn gorfod mynd ac mi gymrodd o'r siom yn reit dda. Mi es ato fo ac ysgwyd llaw efo fo a gweld bod ei fam o y tu allan. Mi es i allan rownd y cefn rhag imi orfod ei hwynebu, ond fel roeddwn i'n dod rownd dyma hi'n gweiddi arna i, 'Can I have a word?' A dyma fi ati yn meddwl yn siŵr 'mod i'n mynd i gael uffarn o bryd o dafod ganddi. Roedd Dave wedi diflannu i'r toilet a doedd gen i ddim dewis ond mynd ati. A dyma ddwedodd hi:

'I'd like to thank you.'

'What for?' medda finna.

'Well, I think you've been very fair. I thought you were very hard on the first challenge, but you've been very honest and very fair.'

Mi wnes i ddiolch iddi a deud pam 'mod i'n meddwl nad oedd o'n ddigon da i fynd drwodd, ac mi ddwedodd ei bod yn cytuno'n llwyr efo fi.

Wel, roeddwn i'n teimlo'n well ar ôl hynny, achos does dim byd gwaeth na mam efo'i phlentyn, fel rhyw hen chwadan ar eich ôl chi am ichi neud rhywbath i'w chyw hi!

Mi ddigwyddais sylwi ar Rhys wedyn, ac roedd o'n beichio crio a'i gariad yn ei gysuro. Yn crio er ei fod o'n dal i mewn. Oedd, roedd o'n amsar calad, yn amsar emosiynol i bawb, ac roeddwn inna'n falch o gael mynd 'nôl i'r hotel yn y tacsi, a'r noson honno roeddwn i yn fy ngwely erbyn hannar awr wedi naw, wedi blino'n lân.

Roedd y sialens ola drannoeth ar ffarm Joe, oedd yn borthmon, ac roeddan ni wedi'i gyfarfod cyn y ffilmio. Dim ond Rhys a William oedd ar ôl ac roedd hon yn dipyn o sialens, ond yn sialens fydda'n dangos pwy oedd y ffarmwr gora o'r ddau.

Roedd yn rhaid i'r ddau allu paru pum buwch efo pum llo ac roeddan ni wedi chwara tric arnyn nhw trwy gynnwys un llo oedd ddim yn perthyn i'r un o'r buchod, a chwara teg i William mi welodd o'r tric yn syth ac roedd hynny'n rhoi marcia da iddo fo.

Y dasg nesa oedd nôl a gosod corlannau symudol i gadw'r gwarthaig i mewn, gan weithio efo'i gilydd fel tîm ac yna fel unigolion i'w cael i'r *crush*. Roedd yn rhaid cael pob buwch a llo i mewn i'r *crush*, lle mae'r anifail fel pe bai mewn carchar, ac iau (*yoke*) wedyn yn cael ei osod dan ei wddw i godi ei ben i fyny. Gwaith anodd oedd cael yr anifeiliaid i mewn i'r *crush* ac roeddan ni'n dau'n gwylio pob symudiad yn fanwl ac yn sylwi ar eu hagwedd at yr anifeiliaid pan fydda petha'n mynd yn anodd. Wedyn rhoi thermomedr yn nhina'r gwarthaig i weld beth oedd eu tymheredd, a'u dôsio os oedd angan. Roedd yn hawdd iawn ffwndro wrth nodi manylion pob buwch fel roeddan nhw'n mynd drwodd, ond mi sylwais fod Rhys wedi nodi rhif pob anifail yn ofalus. Wnaeth William ddim ac roedd hynny'n achosi traffarth iddo yn nes ymlaen, ond mi wnaeth o gyfadda'i fethiant.

Roedd rhai o'r anifeiliaid yn flin ac yn anodd i'w trin ond roedd Rhys yn dawel ac yn amyneddgar efo nhw a William yn fwy gwyllt. Mi glymodd yr iau yn rhy sownd dan wddw un llo nes iddo lewygu ac mi fuo'n rhaid cael ffariar ato. Roedd hynny'n gamgymeriad arwyddocaol.

Ar ôl gorffan efo'r gwarthaig roedd yn rhaid llwytho'r giatiau yn ôl ar y trelar, eu strapio a mynd â nhw'n ôl i waelod y cae.

Roedd William yn dipyn o gocyn, fel y dwedais i o'r blaen. 'Call me William the winner', dyna fydda fo'n ei ddeud o hyd.

Roedd y tasgau i gyd ar ben ac roedd yn rhaid penderfynu ar yr enillydd. Roedd Dave yn tueddu i ffafrio William, yr un hyderus, a finna'n tueddu i ffafrio Rhys, yr un mwy gwastad a distaw. Dyma ofyn i'r ddau ddyn oedd yn rhedag y ffarm i'r porthmon pwy fasan nhw'n ei ddewis, ac mi ddwedodd un William ac mi ddwedodd y llall Rhys, ac mi aeth hi'n ffrae rhwng y ddau, ond doedd hynny ddim llawer o help i ni.

Ond wedi mynd ati i drafod o ddifri roedd yn rhaid i mi dynnu sylw Dave at y ffaith fod yr iau am wddw'r llo yn rhy dynn ac y gallai fod wedi marw. Roedd hwnnw'n gamgymeriad difrifol. Ac mi gyfaddefodd Dave hefyd fod William wedi bod yn ddigywilydd efo fo ac wedi gofyn iddo, 'What do you know about farming? You're just a lecturer.' Mi gafwyd cytundeb felly, yn y diwadd, mai Rhys oedd yr enillydd.

Roedd y bobol teledu fel petha gwirion isio'r dyfarniad ac ar ein hola ni bob munud, a ninna'n cymryd ein hamsar er mwyn dod i'r penderfyniad iawn. Wedyn, pan ddaeth yr amsar mi siaradodd Dave dros William a thynnu sylw at ei gryfderau ac mi wnes inna'r un peth efo Rhys cyn i George, cyflwynydd y rhaglan, gyhoeddi mai Rhys oedd yr enillydd.

Mi ddaeth teulu Rhys aton ni i ddiolch ac mi ddwedodd ei fam fod Rhys yn hogyn da, wedi colli'i dad dair blynadd ynghynt ac yn rhedag y ffarm ei hun. Roeddan ninna'n falch o deimlo y bydda ennill y gystadleuaeth yn rhoi hwb iddo yn ei yrfa ac yn help iddo sylweddoli ei fod o ar y trywydd iawn. Ac roedd agwedd William yn dda ar y diwadd hefyd, fel tasa fo wedi tyfu yn ystod y gystadleuaeth.

Roedd y criw teledu wrth eu boddau ac yn deud bod ganddyn nhw ddeunydd ar gyfar rhaglan dda, un o oreuon y gyfres. Hwyrach i chi ei gweld ar y teledu ddiwadd Chwefror eleni.

Roeddwn i wedi blino ac yn barod am fy ngwely er mwyn imi gael cychwyn adra'n gynnar fora trannoeth. Rhaid cyfadda 'mod i'n colli'r teulu – 'dan ni'n deulu clòs a does yr un ohonon ni'n hoffi bod ymhell i ffwrdd oddi wrth ein gilydd. Roedd hi wedi bod yn bedwar diwrnod hir.

Ond pan ges i beint efo George a Sam ar ôl cyrraedd y gwesty dyma nhw'n deud ein bod yn mynd i barti. Roedd un o'r merchaid yn ddeg ar hugian oed ac roedd parti wedi'i drefnu heb yn wybod iddi hi yn y tŷ anferthol roedd y criw camera'n aros ynddo y tu allan i'r pentra.

Felly ffwrdd â ni yno, a bwyta llond ein bolia. Roedd digonadd o fwyd yno. Yn ystod y min nos mi gefais sgwrs efo'r ferch oedd yn gyfrifol am ffilmio adwaith y teuluoedd i'r tasgau ac i'n sylwadau ni, a hitha'n deud mor falch oedd y teulu fod Rhys wedi cael y wobr. Finna'n deud mai fo oedd yn ei haeddu. Mi ddwedodd wedyn fod y teuluoedd yn fy nghasáu â chas perffaith ar y dechra ond bod ganddyn nhw fwy o barch tuag ata i erbyn y diwadd a bod y geiria 'Welsh bastard' wedi hen ddiflannu. Roeddan nhw'n edrych arna i fel y ffarmwr oedd yn gwybod be 'di be yn hytrach na 'mod i'n hoff o siarad am ffarmio fel mae darlithwyr mewn coleg.

Oeddwn, roeddwn i wedi blino'n lân y noson honno a dim math o awydd arna i i fynd i'r parti, ond dwi'n falch i mi fynd, tasa hynny ddim ond i gael gwybod 'mod i wedi gneud y job yn iawn.

Dyna braf oedd cael troi trwyn y car am ogledd Cymru a dychwelyd adra at Rhian a'r plant. Dwi wrth fy modd yn mynd, ac rydw i ar fynd o hyd, ond adra efo'r cydnabod a'r teulu dwi hapusa, a'r plesar penna wedi pob crwydro ydi dod yn ôl i Dy'n Llwyfan.

GAIR I GLOI

MAE DWYN I gof adega a digwyddiada cofiadwy fy mywyd ar gyfar y llyfr yma wedi atgyfodi llu o deimlada cymysg yn fy meddwl ac wedi gneud imi sylweddoli mor amrywiol a chyfnewidiol ydi bywyd, fel y tywydd ar y Carneddi, yn braf ac yn dymhestlog, yn gynnes ac yn oer, yn garedig ac yn fygythiol, ac mae un wythnos arbennig yn dod i'r cof yn syth wrth i mi feddwl fel hyn.

Wythnos gynta Awst 1997 a hitha'n Steddfod y Bala. Y steddfod ora 'rioed i mi, y lleoliad yn fendigedig, y tywydd yn dda a Rhian yn canu efo grŵp, *Family Dog*, yng nghystadleuaeth y grwpiau roc. Siân James oedd yn beirniadu ac roedd yna ddau enillydd, y nhw a Fuzzy Duck, grŵp o Flaenau Ffestiniog.

Mi gawson ni benwythnos gwych, criw da a hwyl a sbri, â'r grŵp wedi ennill a phopeth. Doedd yr un cwmwl yn ffurfafen ein bywyd.

Adra â ni ar y dydd Sul ac roedd Dad a Mam yn sefyll wrth y giât yn aros amdanon ni, rhywbath na fydd byth yn digwydd. Rhaid bod rhywbath mawr yn bod. Mae Dad yn ddyn calad iawn, byth yn dangos llawer o emosiwn, ond roedd o wedi ypsetio.

'Mae Keith wedi marw,' medda fo.

Roedd clywad ei eiria fel tasa rhywun wedi fy nyrnu yn fy stumog. Keith oedd fel brawd mawr i mi. Keith fydda efo Yncyl Teg ym mhobman. Keith fydda'n hel y mynyddoedd ac yn cneifio efo ni. Keith oedd fel un o'r teulu. Keith wedi marw. Wedi'i ganfod yn farw yn ei wely ar y nos Sadwrn a ninna'n mwynhau ein hunain yn y Bala.

Mi ges i andros o fraw. Ond nid dyna'r cyfan. Mi laddwyd ffrind arall i mi, Jason Jones, ar y nos Wenar mewn damwain moto-beic. Jason fydda'n cwrdd â ni yn y dafarn cyn mynd i Fangor ar nos Sadwrn pan oeddan ni'n ifanc. Richard fy nghefndar oedd ei ffrind gora fo ac mi fuo'n rhaid iddo fynd i adnabod y corff.

Y dydd Gwenar wedyn roeddan ni'n claddu'r ddau. Roeddwn i'n un o'r cludwyr yn angladd Keith, y penteulu efo gwraig, Gwyneth, ac efeilliaid, dwy o genod bach. Finna fel taswn i'n methu meddwl yn glir am y peth rywsut, bywyd ifanc wedi mynd a finna wedi gneud cymaint efo fo. Roeddwn i'n teimlo mor isel ac yn sylweddoli'r un pryd y byddwn i, mewn hannar awr, yn angladd Jason. Dau ffrind wedi marw o fewn llai nag wythnos i'w gilydd, a'r ddau angladd yr un diwrnod, y ddau yn Horeb.

Wythnos gynta Awst 1997. Profiadau gwych yn y Bala, ac yna colli dau ffrind. Dwy golled yn cau drws llawenydd yn glep yn fy ngwynab.

A dyna fywyd, ynte? Y gwych a'r gwachul, y llon a'r lleddf. Hyd yn hyn dwi wedi cael mwy o'r gwych a'r llon nag o'r gwachul a'r lleddf, ac am hynny rydw i'n ddiolchgar.

Am restr gyflawn o lyfrau'r Lolfa, mynnwch
gopi am ddim o'n catalog
neu hwyliwch i mewn i'n gwefan

www.ylolfa.com

Ile gallwch archebu llyfrau ar-lein.

TALYBONT CEREDIGION CYMRU SY24 5HE
ebost ylolfa@ylolfa.com
gwefan www.ylolfa.com
ffôn 01970 832 304
ffacs 832 782